Embarque

Curso de español lengua extranjera

MW00699900

Libro del alumno

Montserrat Alonso Cuenca
Rocío Prieto Prieto

Pilar Justo Muñoz

1

GRUPO DIDASCALIA, S.A.
Plaza Ciudad de Salta, 3 - 28043 MADRID - (ESPAÑA)
TEL.: (34) 914.165.511 - (34) 915.106.710
FAX: (34) 914.165.411
e-mail: edelsa@edelsa.es - www.edelsa.es

Primera edición: 2011
Primera reimpresión: 2012

© Edelsa Grupo Didascalia, S.A. Madrid, 2011.

Autoras: Montserrat Alonso Cuenca, Rocío Prieto Prieto.
Autora de la sección *Refuerza tu gramática*: Pilar Justo Muñoz

Dirección y coordinación editorial: Departamento de Edición de Edelsa.
Diseño de cubierta: Departamento de Imagen de Edelsa.
Diseño y maquetación interior: Departamento de Imagen de Edelsa.

Imprime: Varoprinter

ISBN: 978-84-7711-951-7
ISBN versión mixta: 978-84-7711-807-7
Depósito legal: M-459-2011

Impreso en España / *Printed in Spain*

Ilustraciones: Ángeles Peinador Arbiza

Fuentes, créditos y agradecimientos:
Montserrat Alonso, pág. 49
Archivo de Edelsa Grupo Didascalia, S.A.
Archivo fotográfico www.photos.com

Así mismo las autoras quieren agradecer a sus padres, Antonio Alonso y Guadalupe Cuenca, Manuel
Prieto y Rosa Prieto, el apoyo que les han dado durante todo este tiempo y a ellos quieren dedicarles
este libro.

Prólog

Embarque es un manual de español para adultos que desean aprender español de una forma dinámica. Está basado en el **enfoque por competencias orientado a la acción** que sigue tanto las recomendaciones del *MCER* como las directrices del *Plan Curricular del Instituto Cervantes* con el objetivo de que los estudiantes adquieran las competencias pragmáticas, lingüísticas y el conocimiento sociocultural adecuados al nivel para que el alumno:

- Como **agente social**: interactúe de forma sencilla a fin de satisfacer sus necesidades más inmediatas relacionadas con la vida cotidiana, como pedir y dar información personal y sobre otros, ubicarse en la calle, manejarse en un restaurante, expresar gustos, intereses u opiniones, además de entender y producir textos orales y escritos de estructura sencilla y de forma coherente.
- Como **hablante intercultural**: tome conciencia de su propia cultura y de la diversidad cultural que rodea al mundo del español.
- Como **aprendiente autónomo**: coopere con el grupo a través del intercambio de experiencias, sentimientos, gustos, etc. Y planifique el aprendizaje por medio de una sección de refuerzo de la gramática (autoevaluación), *blogs* y ejercicios de refuerzo en la web.

¿Qué aporta **Embarque**?
Ante todo, un aprendizaje activo centrado en el alumno que ofrece:

- Actividades en contexto que permiten desarrollar las destrezas receptivas y productivas y que concluyen en una práctica oral y escrita indicada con los títulos: **acción, práctica de gramática, conversaciones a bordo, diario a bordo y noticias para los pasajeros.**
- Acciones significativas, referentes a la vida y experiencia personal del estudiante, en las que tiene que interactuar con otros y en las que se retoman, fijan y consolidan la gramática, las funciones y el léxico de cada lección.
- Actividades dinámicas y próximas a la realidad de los estudiantes con la introducción de las nuevas tecnologías (*blogs*, foros, correo electrónico).
- Información adicional al margen de las actividades que recogen léxico y funciones (azul); esquemas gramaticales (rojo) e información sociocultural para orientar al estudiante sobre aspectos socioculturales del mundo hispanohablante (amarillo).
- Presencia de la cultura del mundo hispano, tanto en la sección de noticias, por medio de textos y documentos reales y adaptados, como a lo largo de los módulos.

Embarque se compone de ocho módulos en los que se trabajan diferentes temas pensados para que la persona que utilice este manual pueda interactuar en español en diferentes contextos y con la suficiente competencia comunicativa para dar información de sí mismo, hablar de otras personas, desenvolverse en ambientes cotidianos (su casa, el restaurante, una ciudad), etc

Dada la importancia del uso de las TIC en la enseñanza de ELE, este manual incluye un *blog* en cada módulo donde el estudiante puede «salir» del espacio físico del libro para seguir trabajando. Además, en **www.edelsa.es** (zona estudiante), existe un **portfolio** para complementar cada módulo.

Para terminar, esperamos que nuestro trabajo, nuestras ilusiones y expectativas puestas en **Embarque** ayuden al profesor de ELE a cumplir la grata labor de enseñar no solo un idioma, sino una cultura que refleja la forma de vida y de sentir de una gran comunidad como es la hispanohablante.

Las autoras

Módulo 1
Dar información personal
Pág. 6

Módulo 2
Hablar de los estudios y las profesiones
Pág. 24

Módulo 3
Hablar de las personas y del tiempo libre
Pág. 42

Módulo 4
Describir el entorno cotidiano
Pág. 60

OBJETIVO

ACCIONES

Módulo 1
- Deletreas el nombre y los apellidos.
- Te presentas.
- Hablas de la nacionalidad.
- Dices dónde vives.

Módulo 2
- Hablas de la profesión.
- Completas tu agenda.
- Hablas de los estudios.
- Das tu dirección.

Módulo 3
- Describes a una persona.
- Hablas de tu familia.
- Expresas tus gustos.
- Compartes tus gustos.

Módulo 4
- Describes tu casa.
- Describes tu habitación.
- Explicas qué haces un día.
- Te informas sobre las actividades de otros.

COMPETENCIAS

Competencias pragmáticas
- Deletrear.
- Conocer las fórmulas de tratamiento.
- Saludar y despedirse formal e informalmente.
- Reaccionar a un saludo.
- Pedir y dar información personal (I): nombre, apellidos, nacionalidad y lugar de residencia.

Competencias pragmáticas
- Pedir y dar información personal (II): edad, fecha de nacimiento, número de teléfono, correo electrónico, dirección postal.
- Hablar de los estudios, la profesión, el lugar de estudios/trabajo.

Competencias pragmáticas
- Describir el físico y el carácter de una persona.
- Expresar intensidad.
- Expresar posesión.
- Hablar del estado civil.
- Hablar del conocimiento o desconocimiento de algo o alguien.
- Expresar gustos. Acuerdo y desacuerdo (I).

Competencias pragmáticas
- Describir una vivienda.
- Ubicar objetos.
- Describir muebles y objetos.
- Hablar del día de la semana.
- Hablar de horarios (I).
- Preguntar y decir la hora.
- Expresar frecuencia.

Competencias lingüísticas
Gramática
- Los pronombres personales sujeto.
- El género y número de los adjetivos de nacionalidad.
- Los pronombres interrogativos (I): *¿cómo?, ¿dónde?, ¿de dónde?, ¿cuál?, ¿cuáles?, ¿qué?*
- El presente de indicativo de los verbos *llamarse, ser* y *vivir.*
Léxico
- Los nombres y apellidos hispanos.
- Los países y las ciudades.
- Las nacionalidades.
Fonética
(ver cuaderno de ejercicios)

Competencias lingüísticas
Gramática
- El artículo definido e indefinido.
- El género y número de los sustantivos.
- El presente de indicativo de los verbos irregulares: *tener* y *hacer.*
- El presente de indicativo de los verbos regulares: *-ar, -er, -ir.*
- El pronombre interrogativo: *¿cuántos?*
Léxico
- Las profesiones y los lugares de trabajo.
- Los meses del año.
- Los números cardinales y ordinales.
- Los estudios y las titulaciones.
- La dirección postal.
Fonética
(ver cuaderno de ejercicios)

Competencias lingüísticas
Gramática
- *Ser* + adjetivos para describir el físico y el carácter.
- Los adverbios de cantidad: *muy, bastante, un poco* + adjetivo.
- Los determinantes posesivos: *mi/s, tu/s, su/s, nuestro/a/s, vuestro/a/s, su/s*
- El presente de indicativo del verbo *estar.*
- El presente de indicativo de los verbos irregulares: *saber* y *conocer.*
- El verbo *gustar* y los pronombres de objeto indirecto: *me, te, le, nos, os, les. A mí también/A mí tampoco.*
Léxico
- Los colores.
- La descripción física y de carácter.
- Las relaciones familiares.
- Los estados civiles.
- Las actividades de tiempo libre.
Fonética
(ver cuaderno de ejercicios)

Competencias lingüísticas
Gramática
- Las contracciones: *al* y *del.*
- Preposiciones y locuciones preposicionales de lugar: *en, entre, en el centro (de), alrededor (de), al final (de), detrás (de), delante (de), encima (de)...*
- El presente de indicativo de los verbos irregulares: *dormir, vestirse, despertarse, acostarse.*
- Los verbos reflexivos: *lavarse, levantarse, ducharse, bañarse...*
- Los adverbios de frecuencia: *siempre, a veces, nunca, todos los días, normalmente...*
Léxico
- Los tipos de viviendas y sus partes.
- Las características de una vivienda.
- Los muebles y objetos domésticos.
- Los colores y las formas.
- Los días de la semana.
- Las acciones habituales.
Fonética
(ver cuaderno de ejercicios)

Competencia sociolingüística
- El mundo hispanohablante: monumentos, personajes, bailes, comidas, costumbres.

Competencia sociolingüística
- La educación en España.
- Nuevas profesiones: España y Argentina.

Competencia sociolingüística
- Deportistas de España e Hispanoamérica.
- Celebraciones familiares: la boda en España y México.

Competencia sociolingüística
- Edificios emblemáticos: el Palacio Real de Madrid y la Casa Rosada de Buenos Aires.

WEB

Comunidad embarque
Blog 1: mi famoso favorito.

Comunidad embarque
Blog 2: adivina quién es.

Comunidad embarque
Blog 3: mi familia favorita.

Comunidad embarque
Blog 4: mi día a día.

Módulo 5
Visitar una ciudad
Pág. 78

Módulo 6
Hablar de la dieta y las comidas
Pág. 96

Módulo 7
Hablar de la cultura y los espectáculos
Pág. 114

Módulo 8
Hablar de la ropa y el clima
Pág. 132

OBJETIVO

ACCIONES

COMPETENCIAS

Acciones

Módulo 5
- Hablas de tus vacaciones.
- Describes un viaje.
- Describes tu barrio.
- Pides información.

Módulo 6
- Confeccionas tu desayuno.
- Explicas una receta.
- Eliges un menú.
- Invitas a alguien.

Módulo 7
- Planificas un fin de semana.
- Quedas con un amigo.
- Hablas sobre el ocio.
- Expones tus razones.

Módulo 8
- Preparas tu maleta.
- Explicas lo que te pasó.
- Preguntas por el clima.
- Escribes noticias de prensa.

Competencias pragmáticas

Módulo 5
- Hablar de la dirección y el medio de transporte.
- Hablar de horarios (II).
- Hablar del origen y del destino.
- Hablar del precio.
- Expresar distancia.
- Hablar de la existencia.
- Dar instrucciones.
- Preguntar una dirección.
- Llamar la atención.
- Pedir y confirmar una información.

Módulo 6
- Hablar de las partes del día.
- Expresar obligación.
- Pedir en un restaurante.
- Hablar de preferencias.
- Pedir algo por segunda vez.
- Ofrecer algo más.
- Pedir la cuenta.
- Ofrecer e invitar.
- Aceptar y rechazar una invitación.

Módulo 7
- Hablar de planes e intenciones.
- Proponer y sugerir actividades.
- Expresar finalidad.
- Describir y valorar.
- Comparar.
- Expresar causa.

Módulo 8
- Describir la ropa.
- Dar información detallada sobre algo o alguien.
- Hablar de acontecimientos pasados.
- Hablar del tiempo atmosférico.
- Expresar intensidad.
- Expresar cantidad.
- Expresar la opinión.
- Expresar acuerdo y desacuerdo (II).

Competencias lingüísticas

Módulo 5

Gramática
- El presente de indicativo de los verbos *seguir, girar, ir, salir, llegar, abrir, cerrar, costar*.
- Las preposiciones: *a, de, en*.
- Los pronombres interrogativos (III): *¿cuándo?, ¿cuánto?*
- Las locuciones preposicionales de lugar: *(muy) lejos de, (muy) cerca de, todo recto*.
- El contraste entre *hay/está(n)*.
- Los adverbios de lugar: *aquí, ahí, allí*.

Léxico
- Los medios de transporte.
- Los puntos cardinales.
- Los espacios urbanos.
- Los edificios culturales y monumentos.

Fonética
(ver cuaderno de ejercicios)

Módulo 6

Gramática
- El presente de indicativo de los verbos *almorzar, merendar, servir*.
- Las preposiciones: *a, por*.
- *Hay que* + infinitivo.
- *Tener que* + infinitivo.
- *Querer* + nombre, infinitivo.
- *Preferir* + nombre, infinitivo.
- Las conjunciones: *o, pero*.

Léxico
- Las comidas del día.
- Los alimentos, las bebidas y los condimentos.
- Los platos.
- La temperatura.

Fonética
(ver cuaderno de ejercicios)

Módulo 7

Gramática
- Las expresiones de tiempo: *mañana, ahora, hoy, el* + día de la semana, *en* + mes.
- El presente de indicativo de los verbos *poder, venir* y *quedar*.
- *Ir a* + infinitivo.
- *Para* + infinitivo.
- *Ser/Parecer* + *(muy/bastante/un poco)* + adjetivo.
- *Estar* + *bien/mal*.
- Las estructuras comparativas: *más... que/menos... que*.
- *Porque* + verbo.

Léxico
- Las actividades de ocio y los espectáculos.

Fonética
(ver cuaderno de ejercicios)

Módulo 8

Gramática
- *Ser* + descripción de ropa.
- El pronombre relativo *que*.
- El pretérito perfecto simple (o indefinido). Los verbos regulares.
- Las expresiones de tiempo: *ayer, el otro día...*
- Los determinantes demostrativos: *este/a/os/as, es/a/os /as, aquel/aquella/os/as*.
- *Hace, hay, está* + fenómeno meteorológico.
- Los verbos impersonales: *llover, nevar*.
- Los adverbios de cantidad: *muy/mucho/a/os/as*.

Léxico
- Las prendas de vestir.
- Las características de las prendas de vestir.
- Las estaciones del año.
- Los fenómenos meteorológicos.
- Los medios de comunicación: secciones de un periódico.

Fonética
(ver cuaderno de ejercicios)

Competencia sociolingüística

Módulo 5
- El origen de la plaza Mayor.
- Museos famosos.

Módulo 6
- Sabores latinos.
- La dieta mediterránea.
- Las tapas y las raciones.

Módulo 7
- Espectáculos: el baile, la música y el cine.

Módulo 8
- La moda en España e Hispanoamérica.

Comunidad embarque

Módulo 5
Blog 5: mi próximo viaje.

Módulo 6
Blog 6: una fiesta diferente.

Módulo 7
Blog 7: un lugar fantástico.

Módulo 8
Blog 8: algo pasó.

Módulo
1

Objetiv

Dar información personal

Acciones

| Deletreas el nombre y los apellidos | Te presentas | Hablas de la nacionalidad | Dices dónde vives |

Competencias

Competencias pragmáticas
- Deletrear.
- Conocer las fórmulas de tratamiento.
- Saludar y despedirse formal e informalmente.
- Reaccionar a un saludo.
- Pedir y dar información personal (I): nombre, apellidos, nacionalidad y lugar de residencia.

Competencias lingüísticas
Gramática
- Los pronombres personales sujeto.
- El género y número de los adjetivos de nacionalidad.
- Los pronombres interrogativos (I): *¿cómo?, ¿dónde?, ¿de dónde?, ¿cuál?, ¿cuáles?, ¿qué?*
- El presente de indicativo de los verbos *llamarse, ser* y *vivir.*
Léxico
- Los nombres y apellidos hispanos.
- Los países y las ciudades.
- Las nacionalidades.
Fonética (ver cuaderno de ejercicios)

Competencia sociolingüística
- El mundo hispanohablante: monumentos, personajes, bailes, comidas, costumbres.

Participa en la comunidad de **E**mbarque

B L O G

1

Bienvenid@s a bordo

1 **LOS PASAJEROS DEL BARCO**

Estos son los pasajeros del barco.
Lee sus nombres y sus apellidos.

Raúl Méndez Alonso

Kimura Yamamoto

Jaime Barranco Llorente

Elia Prieto Sanz

Lucía Díaz Hidalgo

Emily Downey

2 **IDENTIFICA A LOS PASAJEROS HISPANOS**

Clasifica los nombres y los apellidos de los pasajeros hispanos del ejercicio 1.

 ¿Sabes que...

en España e Hispanoamérica normalmente usamos dos apellidos? El primero es del padre y el segundo, de la madre.

Listado de pasajeros

Nombres	Apellido 1	Apellido 2
Elia	Prieto	Sanz
....	....	....
....	....	....
....	....	....

3

EL ABECEDARIO

a. Escucha y lee el alfabeto español.

b. El capitán llama a los pasajeros. Escucha y escribe los apellidos que no están en la lista.

¿Sabes que...

en español el nombre de las letras es femenino? Se dice la *a*, la *b*.

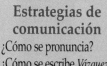

Estrategias de comunicación

¿Cómo se pronuncia?
¿Cómo se escribe *Vázquez*?
¿Cómo se dice...
en español?
¿Qué significa...?

Abecedario

| A, a (a) | B, b (be) | C, c (ce) | D, d (de) | E, e (e) | F, f (efe) | G, g (ge) | H, h (hache) |

| I, i (i) | J, j (jota) | K, k (ka) | L, l (ele) | M, m (eme) | N, n (ene) | Ñ, ñ (eñe) | O, o (o) |

| P, p (pe) | Q, q (cu) | R, r (erre) | S, s (ese) | T, t (te) | U, u (u) | V, v (uve) | W, w (uve doble) |

| X, x (equis) | Y, y (ye) | Z, z (zeta) |

Lista de pasajeros

Nombre	Apellido 1	Apellido 2
1. Elia	....	Sanz
2. Jaime	Barranco	....
3. Carmen	....	Fuentes
4. Isabel	....	Prieto
5. Lucía	Díaz	....
6. Germán	Ibáñez	....
7. Zoe	....	Vázquez
8. Raúl	....	Alonso
9. Elena	....	Unamuno
10. Emily	Downey	
11. Kimura	Yamamoto	

DELETREAS EL NOMBRE Y LOS APELLIDOS

Elige tres pasajeros del ejercicio 3 y deletrea su nombre y sus apellidos a tu compañero. Tu compañero completa las fichas.

Pasajero

Nombre: ....
Apellido 1: ....
Apellido 2: ....

Pasajero

Nombre: ....
Apellido 1: ....
Apellido 2: ....

Pasajero

Nombre: ....
Apellido 1: ....
Apellido 2: ....

BUENOS DÍAS, ¿CÓMO SE LLAMA?

El capitán saluda a los pasajeros.

a. Escucha y lee el siguiente diálogo.

Capitán:	¡Hola!, buenos días, ¿cómo se llama usted?
Elia:	Buenos días, me llamo Elia Prieto Sanz. Encantada.
Capitán:	Elia Prieto Sanz. Muy bien, señora Prieto, puede pasar… ¡Hola!, buenos días.
Jaime:	¡Hola!, ¿qué tal? Soy Jaime Barranco Llorente.
Capitán:	El señor Barranco... aquí está. Buenos días. Ustedes son…
Sr. Ocaña:	Nosotros somos los señores Ocaña.
Capitán:	Pueden pasar, señores Ocaña. Y ustedes, ¿cómo se llaman?
Raúl:	Yo me llamo Raúl.
Capitán:	¿Cuáles son sus apellidos, por favor?
Raúl:	Méndez Alonso. Me llamo Raúl Méndez Alonso.
Emily:	Y yo soy Emily Downey.
Capitán:	Muchas gracias a todos y bienvenidos a bordo.
Todos:	Gracias.

> **Preguntar el nombre y los apellidos**
>
> ¿Cómo te llamas?
> ¿Cómo se llama usted?
> ¿Cuáles son tus apellidos?

> **Fórmulas de tratamiento**
>
> Sr. = señor
> Sra. = señora
> Srta. = señorita } + apellido
> Sres. = señores
> Sras. = señoras
>
> D. = don
> D.ª = doña } + nombre

Gramática

Pronombres personales
yo
tú
él, ella, usted
nosotros/-as
vosotros/-as
ellos/-as, ustedes

Verbo llamarse
me llam**o**
te llam**as**
se llam**a**
nos llam**amos**
os llam**áis**
se llam**an**

b. Completa la tabla con las diferentes formas que hay para decir el nombre.

Preguntar el nombre	Decir el nombre
¿Cómo se llama (usted)? ¿Cómo te llamas (tú)?	.... *Me llamo* .... Elia .... Jaime .... Raúl y yo .... Emily

ME LLAMO

Para decir el nombre podemos usar el verbo *llamarse*. Completa los mini-diálogos con la forma adecuada.

1. – Buenos días, ¿cómo .... usted?
   – (Yo) .... Ricardo.
   – Mucho gusto.
   – Encantado.

2. – Perdón, ¿cómo .... él?
   – Él .... Roberto.
   – Y tú, ¿cómo ....?
   – Elvira.

3. – Nosotros .... Luis y Alberto. Y vosotras, ¿cómo .... ?
   – Yo .... Clara y mi amiga .... Estrella.

SALUDOS Y DESPEDIDAS

a. Marca en el diálogo del ejercicio 4 los saludos y despedidas.

b. Clasifica en la tabla los saludos y despedidas del recuadro.

> • ¡Hola!, ¿qué tal? • Adiós • Buenas tardes • ¡Hola!, buenos días • ¡Hasta mañana!
> • ¡Hasta el martes! • ¡Hasta luego! • Adiós, buenas noches • ¡Hola! • Adiós, ¡hasta mañana!

	Formal	Informal
Saludar		
Despedirse		

HOLA, ¿QUÉ TAL?

¿Cómo se saludan los pasajeros? Completa los diálogos con las expresiones anteriores.

Saludar y despedirse

¡Hola!, ¿qué tal?
Adiós
¡Hasta luego!
¡Hasta mañana!
Buenos días
(De 6:00 h a 13:00 h)
Buenas tardes
(De 13:00 h a 20:00 h)
Buenas noches
(A partir de las 20:00 h)

Reaccionar a un saludo

Encantado/a.
Mucho gusto.

................, me llamo Lucía Díaz.

.... Yo soy Elia Prieto. Encantada.

.... Soy el señor Méndez, ¿y usted?

.... Yo soy Jaime Barranco.

...., me llamo Kimura Yamamoto.

....Yo soy Emily Downey.

TE PRESENTAS

Con tu compañero de viaje.

a. Elegid una de estas opciones:
  - Situación: formal/informal.
  - Número de personas: un hombre/un hombre y una mujer/ dos hombres/dos mujeres.
  - Momento: por la mañana/por la tarde/por la noche.

b. Preparad la situación de encuentro.
  - Saluda.
  - Preséntate y pregunta el nombre y el/los apellido/s.
  - Reacciona al saludo.
  - Despídete.

c. Representad el diálogo en clase.

Práctica
de gramática

Los pronombres personales sujeto: *yo, tú...*

1 ¿Qué pronombres representan? Escríbelos.

1.

2.

3.

4.

5.

6.

El presente de indicativo de *llamarse*

2 Completa con la forma que falta.

Llamarse

....

te llamas

....

nos llamamos

....

....

3 Completa con el verbo *llamarse*.

1. - Hola, ¿cómo ....?
   - (Yo) .... Adrián, ¿y tú?
   - (Yo) .... María.
2. - Buenos días, ¿cómo .... ustedes?
   - Yo .... Claudia
     y él .... Ricardo.
3. ¿Cómo ...*se llama*... ellos?
4. (Nosotras) ...*Nosotras*... Estrella y Clara.
   Nos llama

Tú o *usted*

4 Clasifica las siguientes frases en *tú* o *usted*.

1. ¿Cómo se llama?
2. Se llama Jaime.
3. ¿Te llamas Rocío?
4. ¿Cuál es su apellido?

Tú	Usted

5 Transforma las frases de *tú* a *usted* o viceversa.

1. ¿Te llamas Bruno? ....
2. ¿Cómo te llamas? ....
3. ¿Cómo se llaman ustedes? ....
4. ¿Cómo se llama usted? ....

Conversaciones

Cambio de identidad

1. Esta noche hay una fiesta en el barco. Todos sois famosos. Elige una identidad.
- Saluda a los invitados y preséntate.
- Pregúntales el nombre.
- Despídete.

> Buenas noches, me llamo Elsa Pataky, ¿y tú?

> Yo soy Woody Allen. Encantado.

> Adiós, hasta luego.

¿Qué dicen?

2. En el barco ves diferentes personas que se saludan y se despiden.
Imagina qué dicen en cada situación.
Tú eres A y tu compañero, B.

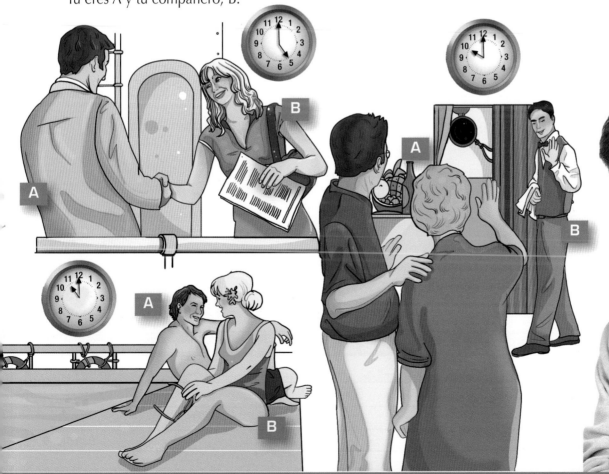

¿De dónde eres?

1. BRASIL, BRASILEÑO/A

En el barco hay personas de diferentes países.

a. Relaciona cada país con su nacionalidad y completa la lista.

> • portugués/-a • italiano/a • griego/a • sueco/a • polaco/a • francés/-a
> • marroquí • chino/a • alemán/-a • brasileño/a • estadounidense • mexicano/a

Gramática

adjetivos
masculino   femenino
singular
ruso   rusa
portugués   portugues**a**
estadounid**ense**
marroqu**í**

plural
rusos   rusas
portugues**es** portugues**as**
estadounidens**es**
marroqu**íes**

1. Grecia   2. Italia   3. Portugal

4. Francia   5. Alemania   6. Marruecos

7. Suecia   8. Polonia   9. Estados Unidos

10. China   11. México   12. Brasil

	Masculino	Femenino
1.	griego	griega
2.	italia	italiana
3.	Portugués	Portuguesa
4.	Francés	Francesa
5.	Aleman	alemana
6.	Marroque	Maroque
7.	sueca	sueca
8.	Polaca	polacos
9.	Estado	
10.	China	China
11.	Mexicana	Mexicana
12.	Brasileña	Brasleña

¿Sabes que...

México y *mexicano* se escriben con *x*, pero se pronuncian con *j*?

b. Di el nombre de otros cinco países que conoces y la nacionalidad.

2. SOY DE ARGENTINA

Lee cómo se presentan estos pasajeros y completa la tabla.

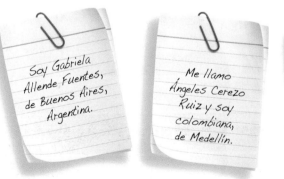

Soy Gabriela Allende Fuentes, de Buenos Aires, Argentina.

Me llamo Ángeles Cerezo Ruiz y soy colombiana, de Medellín.

Yo soy Luis de la Morena Gil. Soy de Granada, en España.

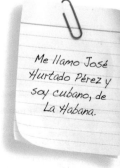

Me llamo José Hurtado Pérez y soy cubano, de La Habana.

Gramática

Verbo *ser*
soy
eres
es
somos
sois
son

	¿Cómo se llama?	¿Cuál es su apellido 1?	¿Cuál es su apellido 2?	¿De dónde es?
1.	me llamo Luis	de la Morena	Gil	Soy de España
2.		Cerezo		Colombiana
3.			Pérez	
4.				Argentina

4

3

FAMOSOS EN EL BARCO

a. Relaciona y escribe el nombre, apellido y nacionalidad de los famosos.
b. Escucha y comprueba.
c. Escribe una frase como en el ejemplo.

Beckham

Herrera

Rossi

español/-a

Scarlett

Pedro

venezolano/a

Dion

Almodóvar

David

Johansson

estadounidense

canadiense

italiano/a

Carolina

Celine

inglés/-a

Valentino

Camarotes de famosos

Nombre	Apellido	Nacionalidad

1. Salma | Hayek | mexicana

Se llama Salma Hayek y es mexicana.

2. Se lla... *Celine Dion* ...y es... *Canadiense* ...

Celine Dion   Canadiense

3. *Se llama David Becama y es Ingles*

David Becaman

4. ...

Ya Passa   Valentino Rossi

5. ...

Pedro

6. *Se llama Scarlette Johanson y es American*

Scarlette Johanson

7. *Se llama Carolina Herrera y es Venezolana*

Carolina Herrer

HABLAS DE LA NACIONALIDAD

a. Elige una nacionalidad.
b. Pregunta a tres compañeros su nombre, su/s apellido/s y su nacionalidad.
c. Preséntalos al resto de la clase.

Acción

Hablar de la nacionalidad

¿De dónde eres?
Soy de + país.
Soy + nacionalidad.

¿Cómo te llamas?
¿Cuáles son tus apellidos?
¿De dónde eres?

Me llamo Montserrat Alonso Cuenca. Soy española, de Guadalajara.

MI CIUDAD

4

Algunos pasajeros tienen fotos de las ciudades donde viven.
Relaciona cada foto con su ciudad.

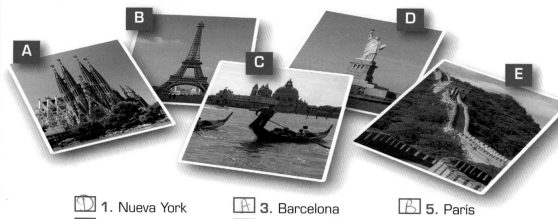

[D] 1. Nueva York   [A] 3. Barcelona   [B] 5. París
[E] 2. Pekín   [C] 4. Venecia

HACEMOS NUEVOS AMIGOS

5

Diferentes pasajeros escriben una presentación con su información personal.
a. Lee lo que escriben y relaciona la información con la foto.

1 Me llamo Jorge Arancibia, soy chileno, pero vivo en Buenos Aires, Argentina.

2 Me llamo Cristina Rivero, soy portuguesa y vivo en Lisboa.

3 Nos llamamos Jacques Dubois y Céline Dior, somos franceses y vivimos en París.

4 Me llamo Paul Smith y soy estadounidense. Vivo en Nueva York con mis amigas Jennifer Martínez y Jessica Scott. Jennifer es mexicana y Jessica es estadounidense, como yo. Nick, el novio de Jessica, es chino, pero vive en Chicago.

⚓

Gramática

Verbo *vivir*
vivo
vives
vive ~de vivs en la ciudad en~
~la Plans~
vivimos
vivís
viven

b. Contesta las preguntas.
1. ¿Cómo se llama el hombre chileno?
2. ¿Dónde vive Jorge?
3. ¿Cuál es el país de Céline?
4. ¿De dónde es Cristina?
5. ¿Dónde viven Paul y Jennifer?
6. ¿Cuál es el apellido de Jessica?

c. Los siguientes adjetivos de nacionalidad aparecen en las presentaciones anteriores. ¿Puedes completar la ficha?

Singular		Plural	
Masculino	**Femenino**	**Masculino**	**Femenino**
estadounidense	estadounidense	*chilinos*	
chileno	*Chilena*	*portugueses*	*chilinas*
Portuguese	portuguesa	*Mexicanas*	*portugueseses*
mexicana	mexicana		*mexicanses*
	franceses		*francesces*
			Chinas
chino	*Chine*	*Chines*	

¿DE DÓNDE SON? ¿DÓNDE VIVEN?

6

Pregunta a tu compañero de dónde son y dónde viven los pasajeros y completa la ficha de la mesa 1. Tú eres A y tu compañero, B.

Hablar del lugar donde vives

¿Dónde vives?
Vivo en + ciudad.
Vivo en + país.

Estudiante A

Salón - comedor
Mesa 1

Juan y María: peruanos — Lima
Óscar: .... — ....
Pedro: costarricense — San José
Claudia: .... — ....
Nilay: indio — Nueva Delhi
Nikola: .... — ....
Fátima y Laila: marroquíes — Rabat
Adela: .... — ....

Estudiante B

Salón - comedor
Mesa 1

Juan y María: .... — ....
Óscar: español — Madrid
Pedro: .... — ....
Claudia: argentina — Córdoba
Nilay: .... — ....
Nikola: croata — Zagreb
Fátima y Laila: .... — ....
Adela: mexicana — México D.F.

DICES DÓNDE VIVES

a. Elige una ciudad para vivir.
b. Pregunta a tres compañeros dónde viven y completa la tabla.

	Compañero 1	Compañero 2	Compañero 3
Nombre:			
Ciudad:			

c. Preséntalos a la clase.

(Él) se llama... y vive en...

Práctica
de gramática

El género y número de los adjetivos de nacionalidad

1 Completa con el masculino y femenino (singular y plural).

1. Rusia:	*ruso*	*rusa*	*rusos*	*rusas*
2. Irán:	*iraní*	....	....	....
3. Canadá:	....	*canadiense*	....	....
4. Cuba:	....	....	*cubanos*	....
5. Venezuela:	....	....	....	*venezolanas*
6. Puerto Rico:	*puertorriqueño*	....	....	....
7. Chile:	....	*chilena*	....	....
8. Polonia:	....	....	*polacos*	....
9. Francia:	*francés*	....	....	....
10. Inglaterra:	....	*inglesa*	....	....

El presente de indicativo de *ser* y *vivir*

Ser	Vivir
soy	....
....	vives
....	vive
somos	....
sois	vivís
....	....

2 Completa la tabla con las formas del presente.

vivo	*eres*	*vivimos*	*son*	*es*	*viven*

3 Completa los minidiálogos con la forma correcta de los verbos *ser* y *vivir*.

1. - ¿De dónde ....?
   - (Yo) .... de Perú.
2. - ¿Dónde .... vosotros?
   - .... en Lima.
3. - ¿........................... de Argentina?
   - No, ... de Uruguay.
4. - ¿Dónde .... ellos?
   - .... en Montevideo.

Los pronombres interrogativos: *¿cómo?, ¿de dónde?...*

4 ¿Qué pregunta haces para estas respuestas?

1. Me llamo José María. (usted) ....
2. Soy de España. (usted) ....
3. Vivo en Madrid. (tú) ....
4. Mi apellido es Méndez. (usted) ....
5. Somos de México. (ustedes) ....
6. Nos llamamos Susana y Paco. (ustedes) ....
7. Somos de Brasil. (vosotros) ....
8. Vivimos en Caracas. (vosotros) ....

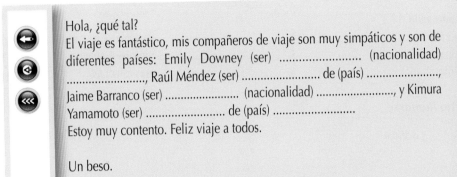

Diario a bordo

Escribes un correo

1. Escribe un correo a un amigo sobre tres compañeros. Fíjate en el modelo.

> Hola, ¿qué tal?
> El viaje es fantástico, mis compañeros de viaje son muy simpáticos y son de diferentes países: Emily Downey (ser) .... (nacionalidad) ...., Raúl Méndez (ser) .... de (país) ...., Jaime Barranco (ser) .... (nacionalidad) ...., y Kimura Yamamoto (ser) .... de (país) ....
> Estoy muy contento. Feliz viaje a todos.
>
> Un beso.

fotos

Presentas a dos amigos

2. Elige a dos amigos y escribe un correo a tu profesor para presentárselos. Usa los verbos *ser*, *llamarse* y *vivir*.

Ellos .... Paula Martín Blanco y Alfonso Ortiz Prieto. .... españoles y .... en Madrid.

Mi amigo .... Jorge Vázquez Jiménez. Él .... mexicano y .... en Monterrey.

mi famoso favorito

Participa en la comunidad de **Embarque**

1

Usuario [   ]
Contraseña [   ]

a. **Piensa en una persona famosa de tu país.**
b. **Completa la ficha con sus datos.**
c. **Entra en** www.edelsa.es > zona estudiante > adultos y cuelga allí tu presentación. Puedes poner algunas fotos o vídeos de esa persona.

Nombre: ....
Apellido/s: ....
Nacionalidad: ....
Ciudad: ....

Los pronombres personales sujeto

1. ¿Qué persona es?

1. Yo — 1.ª persona singular
2. Ellos / ellas / ustedes — ....
3. Tú — ....

4. Él / ella / usted — ....
5. Nosotros/as — ....
6. Vosotros/as — ....

2. Completa con el pronombre personal adecuado.

1. .... vivo en Madrid.
2. .... somos argentinos.
3. .... me llamo Pilar.

4. .... se llaman Ana y María.
5. .... vivís en Alemania.
6. .... eres estudiante.

/ 11

El presente de indicativo del verbo *llamarse*

3. Relaciona las columnas.

1. Yo
2. Tú
3. Él
4. Ella
5. Usted
6. Nosotros/as
7. Vosotros/as
8. Ellos
9. Ellas
10. Ustedes

a. nos llamamos
b. me llamo
c. os llamáis
d. te llamas
e. se llaman
f. se llama

4. Completa las frases con el verbo *llamarse*.

1. ¿Cómo .... tu profesor?
2. Mis tíos .... Raquel y Raúl.
3. ¡Hola! Soy español y .... Luis.
4. Yo .... Cristina y él .... Leo.

5. (Yo) .... Jorge.
6. ¿Cómo .... tu amiga?
7. Buenas tardes, ¿cómo .... ustedes?
8. Oye, tú .... Roberto, ¿verdad?

/ 18

El género y el número de los adjetivos de nacionalidad

5. Completa el cuadro con la nacionalidad que falta.

País	masculino	femenino	País	masculino	femenino
Alemania	....	alemana	Holanda	holandés	....
Argentina	argentino	....	Japón	....	japonesa
Bélgica	....	belga	Marruecos	marroquí	....
Brasil	....	brasileña	Paraguay	paraguayo	....
Canadá	canadiense	....	Polonia	....	polaca
Grecia	....	griega	Rusia	ruso	....
			Venezuela	....	venezolana

6. ¿Cuál es su nacionalidad?

1. Carmen y María son de España, son ....
2. Ellos son de Francia, son ....
3. Las chicas son de México, son ....
4. Me llamo Michael y soy de Suiza, soy ....

5. Mi padre es de Uruguay, es ....
6. Ella es de Alemania, es ....
7. Los estudiantes son de Holanda, son ....
8. Valentino Rossi es de Italia, es ....

/ 21

El verbo *ser*

7. Completa con la forma correcta del verbo *ser*.

1. Ella .... profesora de español.
2. Nosotros .... hermanos.
3. Tú .... Cristina.
4. Ustedes .... turistas.

5. Ellos .... Juan y María.
6. Vosotras .... estudiantes.
7. Usted .... José.
8. Yo .... de Italia.

8. Elige la opción correcta.

1. Él *soy / eres / es* profesor.
2. Tú *eres / es / sois* Carmen.
3. Ella *es / somos / son* argentina.
4. Vosotras *somos / son / sois* enfermeras.

5. Ellos *sois / somos / son* amigos.
6. Nosotros *sois / somos / son* meseros.
7. Ustedes *es / somos / son* extranjeros.
8. Yo *soy / eres / es* doctor.

9. Completa el texto con la forma correcta del verbo.

Mi nombre (1) .... Sara y (2) .... española, de Granada. Teresa (3) .... mi profesora de español. Ella (4) .... argentina, de Buenos Aires. Mis compañeros de clase (5) .... de diferentes países: Jaqueline y Jean (6) .... franceses, Kathrin (7) .... alemana y Giovanni (8) .... de Italia.

	/ 24

El verbo *vivir*

10. Relaciona las columnas.

1. Yo b
2. Tú f
3. Él d
4. Ella d
5. Usted d
6. Nosotros c
7. Vosotros a
8. Ellos e
9. Ellas e
10. Ustedes e

a. vivís
b. vivo
c. vivimos
d. vive
e. viven
f. vives

11. Completa los minidiálogos con la forma correcta del verbo *vivir*.

1. -Yo ......vivo...... en Berlín, y tú, ¿dónde ......vives......?
   -(Yo) ......vivo...... en Valencia.
2. -Nosotras ......vivimos...... en una casa grande, ¿y vosotros?
   -Yo ......vivo...... en un piso y ellos ......viven...... en un chalé.
3. -¿Dónde ......viven...... María y Elena?
   -(Ellas) ......viven...... muy lejos.
4. -Oye, Ángel, ¿con quién ......vive......?
   -Mi hermano y yo ......vivimos...... con mis padres.

	/ 20

Los pronombres interrogativos

12. Elige el pronombre interrogativo adecuado.

1. ¿*Qué / Dónde* vives?
2. ¿*Qué / Cómo* se llama?
3. ¿*Qué / Cuál* es tu nombre?
4. ¿*De dónde / Dónde* vive tu hermano?

5. ¿*Dónde / Quién* es Pablo Picasso? who
6. ¿*Dónde / De dónde* es? where
7. ¿*Cómo / Quién* te llamas? name
8. ¿*Qué / Cuál* es tu apellido? Which / what is your last name

13. Completa las frases con el pronombre interrogativo que falta.

1. ¿........................ tal está?
2. ¿........................ es su nombre?
3. ¿........................ te llamas?
4. ¿........................ eres?

5. ¿........................ hace?
6. ¿........................ son sus apellidos?
7. ¿........................ vives?
8. ¿........................ estudias?

	/ 16

Total	/ 110

El mundo hispanohablante

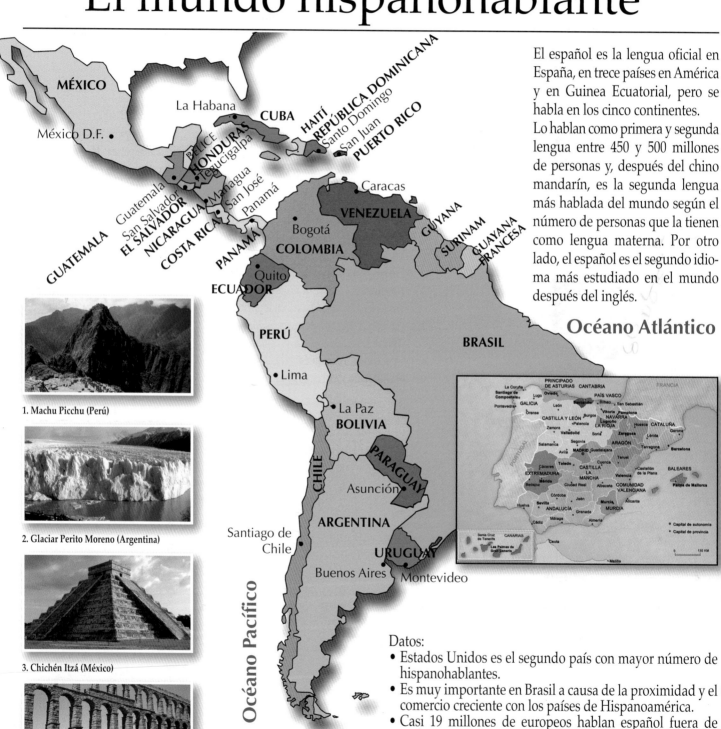

El español es la lengua oficial en España, en trece países en América y en Guinea Ecuatorial, pero se habla en los cinco continentes.

Lo hablan como primera y segunda lengua entre 450 y 500 millones de personas y, después del chino mandarín, es la segunda lengua más hablada del mundo según el número de personas que la tienen como lengua materna. Por otro lado, el español es el segundo idioma más estudiado en el mundo después del inglés.

Océano Atlántico

1. Machu Picchu (Perú)

2. Glaciar Perito Moreno (Argentina)

3. Chichén Itzá (México)

4. Acueducto de Segovia (España)

Océano Pacífico

Datos:
- Estados Unidos es el segundo país con mayor número de hispanohablantes.
- Es muy importante en Brasil a causa de la proximidad y el comercio creciente con los países de Hispanoamérica.
- Casi 19 millones de europeos hablan español fuera de España, en la UE, donde es lengua oficial.
- En Filipinas se estudia español en las escuelas.

Adaptado de www.wikipedia.org

Personajes

5. Mario Vargas Llosa

6. Penélope Cruz

7. Isabel Allende

Bailes

8. Corrido

9. Flamenco

10. Tango

Cuestionario

1. Lee la información de la página 22 y contesta: ¿Dónde se habla español?

2. Observa los mapas de la página 22 y relaciona la nacionalidad con el país.

Nacionalidad	País
Boliviano/a	....
Hondureño/a	....
Chileno/a	....
Mexicano/a	....
Argentino/a	....
Nicaragüense	....
Cubano/a	....
Panameño/a	....
Colombiano/a	....
Paraguayo/a	....
Ecuatoriano/a	....
Peruano/a	....
Costarricense	....
Puertorriqueño/a	....
Español/-a	....
Dominicano/a	....
Salvadoreño/a	....
Uruguayo/a	....
Guatemalteco/a	....
Venezolano/a	....

3. ¿Con qué país de habla hispana asocias estos personajes, bailes, comidas y costumbres?

Comidas

11. Cebiche

12. Tortilla de patata

13. Guacamole

Costumbres

14. Día de los muertos

15. Semana Santa

16. Corrida de toros

17. Mate

Módul**O**

2

Objetivo

Hablar de los estudios y las profesiones

Acciones

| Hablas de la profesión | Completas tu agenda | Hablas de los estudios | Das tu dirección |

Competencias

Competencias pragmáticas
- Pedir y dar información personal (II): edad, fecha de nacimiento, número de teléfono, correo electrónico, dirección postal.
- Hablar de los estudios, la profesión, el lugar de estudios/trabajo.

Competencias lingüísticas
Gramática
- El artículo definido e indefinido.
- El género y número de los sustantivos.
- El presente de indicativo de los verbos irregulares: *tener* y *hacer*.
- El presente de indicativo de los verbos regulares: *-ar, -er, -ir*.
- El pronombre interrogativo (II): *¿cuántos?*

Léxico
- Las profesiones y los lugares de trabajo.
- Los meses del año.
- Los números cardinales y ordinales.
- Los estudios y las titulaciones.
- La dirección postal.

Fonética (ver cuaderno de ejercicios)

Competencia sociolingüística
- La educación en España.
- Nuevas profesiones: España y Argentina.

Participa
en la comunidad de
Embarque
BLOG 2

3 ¿A qué te dedicas?

1 PROFESOR, MÉDICA

Estas son las profesiones de algunos compañeros de viaje.

a. Escribe debajo de cada foto la profesión que representa.

> • secretario/a • ingeniero/a • profesor/-a • bombero/a • policía
> • camarero/a • enfermero/a • taxista • actor/actriz • médico/a

1 — *la secretaria*

2 — *la profesora*

3 — *el médico*

4 — *el c*

5 — *el b*

6 — *la actriz*

7 — *el taxista*

8 — *la policía*

9 — *la e*

10 — *el ingeniere*

Gramática

Artículo definido

masculino	femenino
singular	
el	la
plural	
los	las

Artículo indefinido

masculino	femenino
singular	
un	una
plural	
unos	unas

Sustantivo

masculino	femenino
singular	
abogado	abogada
profesor	profesora
estudiante	
taxista	
plural	
abogados	abogadas
profesores	profesoras
estudiantes	
taxistas	

Verbo *trabajar*

trabajo
trabajas
trabaja
trabajamos
trabajáis
trabajan

---

b. Relaciona cada profesión con su lugar de trabajo y explica dónde trabajan.

La policía trabaja en la comisaría.

8 a. La comisaría	☐ e. El restaurante
☐ b. Las calles de la ciudad	**6** f. El teatro
☐ c. El hospital (x2)	☐ g. El parque de bomberos
2 d. El instituto	**1** h. La oficina (x2)

Y TÚ, ¿QUÉ HACES?

Lucía y Raúl hablan de sus profesiones.
Lee el siguiente diálogo y completa las frases.

- Hola, buenos días. Me llamo Lucía y tú, ¿cómo te llamas?
- Yo soy Raúl.
- ¿A qué te dedicas, Raúl?
- Soy enfermero en el hospital general de mi ciudad. Y tú, ¿qué haces?
- Yo soy policía y trabajo en la comisaría central de Valencia.
- ¡Qué interesante!

1. Lucía es _policía_ y trabaja en la _comis......_

2. Raúl es _medico_ y trabaja en el _hospital central_

¿CÓMO PREGUNTAS?

a. En el diálogo anterior aparecen dos formas diferentes para preguntar por la profesión. Anótalas.

1. .... 2. ....

b. Observa las fotos y escribe la pregunta y la respuesta adecuadas.

1

- ¿Qué _haces_......?
- ....

2

- ¿A qué _te dedicas_
- ....

3

- ¿Cuál es tu profesión?
- ....

5

¿DÓNDE TRABAJAS?

Escucha la encuesta que hacen a los pasajeros sobre sus profesiones y lugares de trabajo. Completa la tabla con los datos que faltan.

	Nombre	Profesión	Lugar de trabajo
Pasajero 1	Carmen		
Pasajero 2			instituto
Pasajero 3		secretaria	

HABLAS DE LA PROFESIÓN

a. Elige una profesión del ejercicio 1.
b. Pregunta a tres compañeros su profesión y lugar de trabajo.

¿A qué te dedicas?, ¿dónde trabajas?

Soy policía y trabajo en la comisaría central.

6

5 ¡A CONTAR! 1, 2, 3

Aquí tienes los números en español.
Escucha y escribe el número que falta.

Números

0 Cero	10 Diez	20 Veinte	100 Cien
1 Uno	11 Once	21 Veintiuno	101 Ciento uno
2 Dos	12	22 Veintidós	102 Ciento dos
3	13 Trece	23	200 Doscientos
4 Cuatro	14 Catorce	* * *	250 ....
5 Cinco	15	30 Treinta	300 Trescientos
6	16 Dieciséis	31 Treinta y uno	400 Cuatrocientos
7. Siete	17 Diecisiete	32 Treinta y dos	500 ....
8 Ocho	18	* * *	600 Seiscientos
9	19 Diecinueve	40 Cuarenta	700 ....
		50	800 Ochocientos
		60 Sesenta	900 Novecientos
		70	1.000 ....
		80 Ochenta	
		90 Noventa	

6 CÓDIGO SECRETO

¿Qué números están escondidos en las llaves magnéticas?
Separa las palabras y encuentra el código secreto.

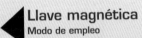

Llave magnética
Modo de empleo

Código secreto camarote

Cerodoscincoseissieteocho
diezoncequincedieciséis
diecinueveveinteveinticinco

Llave magnética
Modo de empleo

Código secreto camarote

treintaydoscuarentasesentanoventa
cientounotrescientoscuatro
quinientosdosmil

7

7 NÚMEROS, NÚMEROS

Cada pasajero tiene un número de camarote.
Marca el número que oyes y escríbelo luego con letras.

Listado de
camarotes

Camarotes nivel 1	124	X
	187	
	165	
Camarotes nivel 2	245	
	213	
	287	
Camarotes nivel 3	376	
	389	
	399	
Camarotes nivel 4	487	
	412	
	491	
Camarotes nivel 5	543	
	500	
	578	

Nivel 1

Llave magnética

Camarote

124

8

LOS MESES DEL AÑO

Aquí tienes los meses del año.
Ordénalos y completa el calendario.

febrero   noviembre   junio   enero

julio   diciembre   mayo

abril   octubre   marzo

septiembre   agosto

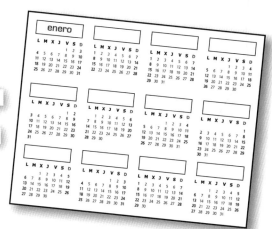

9

¿CUÁL ES TU FECHA DE NACIMIENTO?

Elia y Raúl intercambian sus datos.
Escucha la conversación y completa las agendas de cada uno.

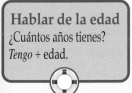

Raúl

Fecha de nacimiento:
Edad:
(
@

Elia

Fecha de nacimiento:
Edad:
(
@

10

MI CORREO ELECTRÓNICO

Lee las siguientes frases y clasifícalas en la tabla.

a. Es csanchezherranz@hbs.org.
b. El fijo es el 91 760 92 45.
c. El 19 de julio de 1990.
d. ¿Cuál es tu dirección de correo electrónico?
e. ¿Cuál es tu fecha de nacimiento?

f. Tengo 18 años.
g. ¿Cuántos años tienes?
h. El móvil es el 656 13 39 27.
i. ¿Cuál es tu número de móvil/fijo?

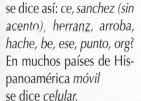
	Preguntar	Decir
La edad	....	....
La fecha de nacimiento	....	....
El número de teléfono	....	....
La dirección de correo electrónico	*cual es tu email*	....

COMPLETAS TU AGENDA

Acción

a. Elige a cuatro compañeros.
b. Completa tu agenda de contactos con sus datos: edad, fecha de nacimiento; número de teléfono fijo y móvil; dirección de correo electrónico.
c. Después ordénalos de mayor (+) a menor (-) edad.

¿Cuántos años tienes?

¿Cuál es tu fecha de nacimiento?

Práctica
de gramática

Nov 15/13
11-2017

El artículo definido e indefinido: *el, un*

1 **Escribe el artículo donde es necesario.**

1. Buenos días, soy .... Alonso.
2. Adiós, ... señora López.
3. Trabajo en .... oficina de turismo.
4. Ella trabaja en .... hospital Reina Cristina.
5. Ramón es cocinero y trabaja en .... restaurante famoso.
6. Laura es actriz y trabaja en .... Teatro Real.

El género de los sustantivos

2 **Agrupa estas palabras según su género y ponles el artículo (*el, la*).**

padre, hombre, taxista, estudiante, hospital, universidad, policía, restaurante, madre,
oficina, abogada, instituto, comisaría, mujer, calle, parque, profesor, teatro

solo masculino	solo femenino	masculino/femenino
el padre		

3 **Escribe el femenino o masculino de las siguientes profesiones.**

1. El ingeniero ....
2. La estudiante ....
3. El camarero ....
4. La abogada ....
5. El policía ....
6. La médica ....
7. El director ....
8. La taxista ....

El número de los sustantivos

4 **Forma el plural de las siguientes palabras.**

1. La amiga ....
2. El hospital ....
3. El restaurante ....
4. La fuente ....
5. El doctor ....
6. El libro ....
7. El profesor..................
8. La mujer ....

El presente de indicativo de *hacer* y *tener*

5 **Completa con la forma que falta.**

Hacer	Tener
hago	tengo
haces	tienes
hace	tiene
hacemos	tenemos
hacéis	tenéis
hacen	tienen

6 **Completa con la forma correcta del verbo.**

1. (Hacer, nosotros) hacemos los ejercicios de español.
2. (Tener, yo) tengo treinta años.
3. ¿Cuántos amigos (tener, tú) tenemos?
4. ¿Qué (hacer, tú) haces?
5. ¿Qué (hacer, ellos) hace por la mañana?
6. - ¿Cuántos años (tener, vosotros) tenéis?
   - tenéis treinta y cinco.
7. (Tener, ustedes) tienen el camarote 122.

Los números cardinales: *uno, dos...*

7 **Escribe en letras.**

1. 91 ....
2. 582 ....
3. 115 ....
4. 740 ....
5. 250 ....
6. 999 ....
7. 333 ....
8. 1000 ....

Información personal

1. Completa tu agenda con la información de tu compañero. Tú eres A y tu compañero, B.

what da yo do

¿Qué hace...?

Trabaja en...

¿Cuál es la fecha de nacimiento de...?

¿Cuántos años tiene...?

¿Dónde trabaja...?

¿Cuál es el número de teléfono de...?

Tiene...

Estudiante A

	Profesión	Lugar de trabajo	Fecha de nacimiento	Edad	Número de teléfono móvil/fijo	Correo electrónico
Compañero 1 María	ingeniera	Oficina	7-05-1977	tienes años	654 34 58 90	sarah.com
Compañero 2 Virginia	Enfermera		7.05.1963	52		
Compañero 3 Manuel	as. tasicos	Calles de la ciudad	16-12-1956			virgi.salud@hospitalcentral.com
Compañero 4 Carlos	Bombero			38		carlfuego@hotmail.com

Estudiante B

Profesión	Lugar de trabajo	Fecha de nacimiento	Edad	Número de teléfono móvil/fijo	Correo electrónico
Ingeniera		31			marieleco@gmail.com
	Hospital	25-09-1956		622 34 88 00	
Taxista		45			taximanu@terra.es
	Parque de bomberos	13-10-1970		629 13 01 33	

(Compañero 1 María, Compañero 2 Virginia, Compañero 3 Manuel, Compañero 4 Carlos)

Mis datos

2. Ahora escribe tus datos.
  a. Busca a tres compañeros con algún dato en común.
  b. Preséntalos en clase.

¿Qué estudias?

1 ## MÚSICA, ESPAÑOL

Estos son los estudios de tus compañeros. Relaciona cada uno con una asignatura de la columna de la izquierda.

1. Música
2. Derecho
3. Biología
4. Medicina
5. Matemáticas
6. Historia
7. Arte
8. Idiomas

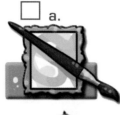 a.

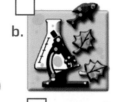 b.

 c.

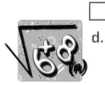 d.

 e.

 f.

 g.

 h.

2 ## HACER UN EXAMEN

Las siguientes palabras tienen relación con los estudios.
Con un compañero agrúpalas por categorías.

• Historia • preguntar • Derecho
• profesor/-a • escuela • director/-a
• estudiar • Arte • comprender
• biblioteca • aprender • Biología
• universidad • Música • escuchar
• Medicina • clase • leer • hacer un
examen • estudiante • Idiomas
• escribir • Matemáticas • practicar
• Literatura • asistir

Asignaturas
Historia

Lugares

Personas

Acciones

3 ## ENCUESTA A BORDO

Aquí tienes los resultados de una encuesta realizada a algunos pasajeros.
Lee la información y completa el correo electrónico.

Nombre	Eva Blanco Gil	Roberto Do Santos	Claudia Bertuzzi	Giorgio Rossi
Edad	22 años	30 años	16 años	22 años
Estudios	Matemáticas	No	Música	Historia
Lugar de estudios	Universidad		Instituto	Universidad

Hablar de los estudios

¿Qué estudias?
Estudio + nombre de estudios.
¿Dónde estudias?
Estudio en + lugar de estudio.

Asunto:
Datos adjuntos: ninguno
Fuente   11   N K S T

Hola, Ana, ¿qué tal?
El viaje es muy divertido y tengo muchos amigos de diferentes países, por ejemplo, Eva tiene .... años y estudia .... en la .... Claudia estudia .... en el .... Ella tiene .... años. Giorgio tiene .... años y estudia .... en la .... Roberto tiene .... años y no estudia. Todos son muy interesantes. Un beso, Lucía.

Gramática

Verbo *estudiar*

estudio
estudias
estudia
estudiamos
estudiáis
estudian

Verbo *leer*

leo
lees
lee
leemos
leéis
leen

Verbo *escribir*

escribo
escribes
escribe
escribimos
escribís
escriben

4 DOS AMIGOS CHATEAN

Lee la conversación de chat entre estos amigos y completa con los verbos regulares en presente.

- ¡Hola, María! ¿Qué tal estás?
- Hola, Enrique. ¿Qué haces?
- (Estudiar) …………….. Alemán y (escribir) …………….. un correo a un compañero porque (necesitar) …………….. los ejercicios para la clase de mañana.
- ¿(Estudiar, tú) …………….. Alemán? ¿Es difícil?
- No, no es muy difícil, pero cuando no (comprender) …………….. bien algunas palabras, las (escribir) …………….. en el cuaderno y luego las (buscar) …………….. en el diccionario de alemán, en Internet.

- ¿Por qué no (preguntar) …………….. a tu profesor?
- Sí, sí, en clase (preguntar) …………….. a mi profesor o a mis compañeros. Y tú, ¿qué haces?
- Pues yo (leer) …………….. un libro para la clase de Literatura y (escuchar) …………….. música.
- Oye, mi madre me llama. (Hablar, nosotros) …………….. mañana.
- Muy bien, hasta mañana.

9

5 COMPRENDO, COMPRENDES

Completa la siguiente tabla con los verbos que faltan. Escucha y comprueba.

Preguntar	Comprender	Asistir
……………	comprendo	asisto
preguntas	comprendes	……………
……………	……………	asiste
preguntamos	……………	……………
……………	comprendéis	asistís
preguntan	……………	……………

Acción HABLAS DE LOS ESTUDIOS

a. Elige unos estudios y un lugar donde estudiar del ejercicio 2.
b. Pregunta a tres compañeros sobre sus estudios.
c. Presenta la información a la clase.

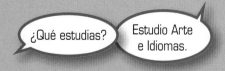

¿Qué estudias? — Estudio Arte e Idiomas.

¿Dónde estudias? — En la Universidad Nacional de mi país.

6 CALLE O AVENIDA

En las tarjetas de visita puedes ver muchas de estas abreviaturas.
Relaciona cada una con la palabra correspondiente.

¿Sabes que...

las abreviaturas son palabras
a las que les faltan letras?
Por ejemplo: *plaza=plza.*

1. Avenida
2. Calle
3. Paseo
4. Plaza
5. Código postal
6. Izquierda
7. Teléfono
8. Número
9. Derecha

a. plza.
b. c/
c. C.P.
d. avda.
e. p.º
f. n.º
g. izda.
h. tfno.
i. dcha.

Paseo de la Castellana

Plaza de España

Avenida de América

7 ABREVIATURAS

Escribe la dirección de estas tarjetas con las abreviaturas correspondientes.

1 Instrumentos Musicales

Calle San France, número 5

Código postal 46800
Xátiva (Valencia)
Teléfono: 962380609

2 MIRASOL
Agencia de viajes

Avenida Alexandre Rosselló, número 60
Código postal 07002
Palma (Mallorca)
Teléfono: 971 466 662

3 Inmobiliaria Mojácar

Paseo de la Fuente, número 10,
Planta primera, derecha
Mojácar (Almería)
Código postal 04638
Teléfono: 950472668

4 Escuela de Idiomas
Rocío Prieto
Directora

Plaza San Pedro, número 60
Código postal 48014
Bilbao
Teléfono: 944 754 972
www.ei-bilbo.net

8 EN ORDEN

Algunas veces los números sirven para expresar el orden.
Escribe el número que corresponde a cada ordinal como en el ejemplo.

¿Sabes que...

primero y *tercero* pierden
la *-o* cuando hay un nombre masculino después?
Piso primero = primer piso.

1. Primero (1.º):   ...uno...
2. Tercero (3.º):   ....
3. Quinto (5.º):   ....
4. Séptimo (7.º):   ....
5. Noveno (9.º):   ....

6. Segundo (2.º):   ....
7. Cuarto (4.º):   ....
8. Sexto (6.º):   ....
9. Octavo (8.º):   ....
10. Décimo (10.º):   ....

9 ENVÍO UNA CARTA

Quieres enviar una carta a un amigo español.

a. Observa cómo se escribe la dirección en un sobre.

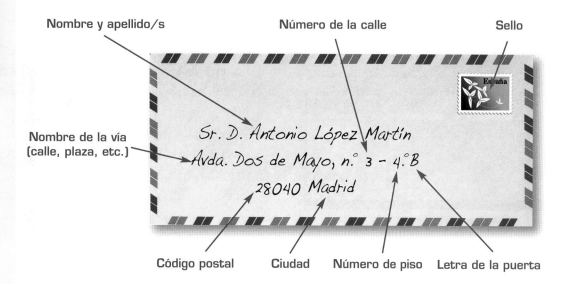

Nombre y apellido/s — Número de la calle — Sello

Nombre de la vía (calle, plaza, etc.)

Sr. D. Antonio López Martín
Avda. Dos de Mayo, n.º 3 - 4.º B
28040 Madrid

Código postal — Ciudad — Número de piso — Letra de la puerta

b. Elige alguna de estas famosas vías y escribe la dirección de tu amigo.

> **Nombre de la vía:** calle Mayor, calle Dos de Mayo, avenida Nueve de Julio, paseo de la Reforma, avenida de la Ilustración, avenida Diagonal, avenida del Puerto, paseo de la Castellana.
> **Ciudad:** Madrid*, Barcelona*, Valencia*, etc.
> **En Madrid, el C.P. empieza por 28...; en Barcelona por 08... y en Valencia por 46...*

10 LA TARJETA DE ENRIQUE

La tarjeta de visita de Enrique tiene algunos errores.

a. Escucha los datos y corrígelos.

Escuela Ñ
Enrique Guzmán Blanco
Profesor de español

P.º de las Delicias, n.º 134, 1.º dcha. - 28093 Madrid
Tfno.: 913 45 67 89 - móvil: 657 45 34 11
Fax: 913 44 67 85
E-mail: eguzblan@escuela.org
www.escuela.org

b. Con los nuevos datos, contesta las preguntas.

1. ¿Dónde trabaja Enrique?
2. ¿Qué hace?
3. ¿Cuál es su correo electrónico?
4. ¿Cuál es la dirección postal?
5. ¿Cuál es la página web de Escuela Ñ?

DAS TU DIRECCIÓN

a. Elige una dirección española.
b. Pregunta a tu compañero su dirección postal.

¿Cuál es tu dirección?
¿Dónde vives?

Vivo en la calle/avenida de... en el n.º...

Práctica
de gramática

El presente de indicativo de los verbos regulares

1 Completa con la forma correcta.

Trabajar	Aprender	Escribir
....	....	....
trabajas	....	....
....	aprende	....
trabajamos	....	....
....	....	....
trabajan	aprenden	....

2 Completa las frases con el presente de los verbos.

1. Los estudiantes (aprender) .... español en la universidad.
2. El profesor (preguntar) .... a los estudiantes.
3. Ellos (escribir) .... en la pizarra.
4. Mis amigos y yo (escuchar) .... al profesor.
5. (Leer, vosotros) .... las noticias en el periódico.
6. (Explicar, tú) .... la gramática.
7. (Hablar, ustedes) .... español con el profesor.

3 ¿Qué persona es?

1. Canto ....
2. Compran ....
3. Escribís ....
4. Habla ....
5. Estudia ....
6. Escriben ....
7. Bailamos ....
8. Trabajo ....
9. Subes ....
10. Coméis ....
11. Lee ....
12. Trabajamos ....

4 Ordena estas frases.

1. estudiantes / libros / leen / Los ....
2. habla / profesor / El / español ....
3. biblioteca / en / la / el / Estudiamos / examen .... Estam
4. Pregunto / los / al / profesor / ejercicios ....
5. la / universidad / Leo / en / libros .... Lee libros en la universidad
6. de / Explicamos / los / Matemáticas / ejercicios ....

Los números ordinales: *primero, segundo...*

5 Completa la tabla.

1. 1.º / 1.ª primero/a
2. 2.º / 2.ª ....
3. 3.º / 3.ª tercero/a
4. 4.º / 4.ª ....
5. 5.º / 5.ª ....
6. 6.º / 6.ª sexto/a
7. 7.º / 7.ª ....
8. 8.º / 8.ª ....
9. 9.º / 9.ª noveno/a
10. 10.º / 10.ª ....

Los pronombres interrogativos: *¿cuántos?, ¿dónde?...*

6 Escribe la pregunta o la respuesta adecuadas.

1. Tengo diecinueve años. ....
2. Estudio Ingeniería. ....
3. ¿Qué estudias? ....
4. Es el 949 89 45 23. ....
5. ¿Cuál es su profesión? ....
6. ¿Qué haces? ....
7. ¿Cuántos años tiene? ....
8. ¿A qué te dedicas? ....
9. Estudio en la universidad. ....
10. El 4 de julio de 2004. ....

Diario a bordo

Esta es Laura

1. **a.** Lee la presentación que hace Laura.

> ¡Hola a todos! Me llamo Laura Jiménez Abril y tengo 27 años. Vivo en Valladolid y trabajo en una agencia de comunicación que se llama «Comunicaciones» y está en la calle Neptuno, en el número 17. Soy directora de *marketing*. Tengo dos direcciones de correo, la personal, laujima@yahoo.es, y la del trabajo, laujima@comunica.es. Si quieres hacer prácticas con nosotros, puedes escribirme a las dos.

b. Después de leer la presentación de Laura, completa con tu compañero los datos que faltan en su tarjeta de visita.

Agencia de comunicación

Laura

Directora de

C/
47098

Tel.: 983 56 87 90
www.comunicaciones.es

fotos

Perfil del usuario

2. Para contactar con Laura tienes que completar el siguiente formulario *on-line* y enviarlo a su dirección de correo.

Apellido/s	Nombre ....
DNI	Fecha de nacimiento ....
Dirección	N.º ....
Ciudad .... C.P.	País ....
Teléfono .... Correo electrónico	

Sexo (h=hombre / m= mujer) ☐ h ☐ m

Ocupación
1 = estudio ☐
2 = trabajo ☐
3 = estudio y trabajo ☐
4 = en paro ☐

Estudios
1 = secundaria ☐
2 = bachillerato ☐
3 = formación profesional ☐
4 = estudios universitarios ☐

Participa en la comunidad de **E**mbarque

B L O G
2

suario [   ]
ontraseña [   ]

adivina quién es

a. Busca información sobre un personaje del mundo hispano: datos personales (excepto el nombre y los apellidos), profesión, fecha de nacimiento, dirección de correo, etc.

b. Entra en www.edelsa.es > zona estudiante > adultos y cuelga allí la información de tu personaje. Tus compañeros adivinan quién es.

Refuerza
la gramática del módulo 2

El artículo definido e indefinido

1. Escribe el artículo como en el ejemplo.

1. *el/un* ..... cocinero
2. .... azafatas
3. Los ..... mecánicos   unos
4. Los .... artistas
5. los/unos .... doctores
6. los .... estudiantes   unos

2. Transforma las frases como en el ejemplo.

1. El camarero trabaja en el restaurante.
2. Las secretarias están en las oficinas.
3. El taxista trabaja en la ciudad.
4. La enfermera vive en un apartamento.
5. Los estudiantes estudian en las bibliotecas.

Un camarero trabaja en un restaurante.
....
....
....
....

3. Escribe el artículo definido o indefinido donde es necesario.

1. Mi hermano es .... director general.
2. ¡Hola! Soy .... profesor de español.
3. Buenos días, soy .... el ..... señor López.
4. ¿Eres .... periodista?
5. Trabajan en ..... el ..... banco.
6. Ella trabaja en .... Museo del Prado.

/ 15

El género de los sustantivos

4. Escribe el femenino.

1. el médico ..... la medica
2. el enfermero ..... la
3. el artista ..... la
4. el estudiante ..... la
5. el abogado ..... la
6. el camarero ..... la

5. Escribe el masculino.

1. la azafata ....
2. la secretaria ..... el secretario
3. la abogada ..... el
4. la ingeniera ....
5. la arquitecta ....
6. la profesora ....

6. Escribe el artículo definido según el género del sustantivo.

1. ..... una .... casa
2. ..... una .... hospital
3. ..... una .... padre
4. ..... una .... comisaría
5. ..... una .... restaurante
6. ..... una .... calle
7. ..... un .... estudiante
8. ..... un .... parque
9. ..... un .... teatro
10. ..... la .... ciudad

/ 22

El número de los sustantivos

7. Escribe el plural.

1. abogado__
2. oficina s
3. profesor__
4. artista__
5. hospital__
6. doctora__
7. mujer__
8. biblioteca__

8. Escribe el plural de estas frases.

1. La secretaria está en la oficina.
2. El camarero está en el restaurante.
3. El teatro es nuevo.
4. El estudiante hace un examen.
5. La profesora explica la lección.

....
Los teatros son
....
....
....

/ 13

El presente de indicativo de los verbos *hacer* y *tener*

9. Completa con la forma correcta del verbo *hacer*.

1. Ahora (vosotros) .... los ejercicios.
2. ¿Qué (tú) ....?
3. Mi madre .... *haus* .... la comida.

4. ¿Qué (nosotros) ....el sábado?
5. Hoy no (ellos) .... nada.
6. Ahora, (yo) .... un examen.

10. Completa con la forma correcta del verbo *tener*.

1. Nosotros .... veinte años.
2. Los chicos .... ordenador nuevo.
3. Ana no .... tiempo.

4. ¿Cuántos años (tú) .... *tienes* ... ?
5. (Yo) ...... *tengo* ... dos hermanos.
6. Ahora no (ellos) .... trabajo.

11. Completa con *hacer* o *tener*.

1. ¿Qué (tú) ....? Soy profesor de español.
2. ¿Cuántos años (usted) .... *tiene* ....?
3. ¿Cuándo (ellos) ...... *hacen* .. ejercicio?
4. Los estudiantes no ... *tiene* .... libro.

5. Ellos .... dos hijos.
6. No (yo) ...... *tengo* ..... dinero.
7. Vosotros ... *haces/tien.* ... bien el ejercicio.
8. Ahora no (yo) .... nada.

/ 20

El presente de indicativo de los verbos regulares

12. Conjuga el verbo según la persona.

1. aprender, yo ....
2. escribir, tú ....
3. leer, él *leo* ....
4. estudiar, ella ....
5. chatear, nosotros *chateamos* ....
6. vivir, vosotros *vivís* ....

7. practicar, ellos ....
8. saludar, usted *lo greet* ....
9. comer, ustedes ....
10. trabajar, vosotras ....
11. preguntar, yo ....
12. hablar, nosotras ....

13. Completa las frases con la forma adecuada del verbo entre paréntesis.

1. Ana (aprender) .... español.
2. ¿(Asistir, tú) *asiste* .... a clase todos los días?
3. Los españoles (comer) .... entre las 14:00 y las 15:00.
4. (Hablar, ustedes) .... con el recepcionista.

5. Ellos (leer) *leen* .... el periódico.
6. Los estudiantes (practicar) ... *practican* .. en clase.
7. Nosotros (escuchar) .... música.
8. Vosotros (chatear) .... todas las tardes.

/ 20

Los pronombres interrogativos

14. Elige el pronombre interrogativo adecuado.

1. ¿*Cómo* / *Qué* te llamas?
2. ¿*Cómo* / *Qué* es tu profesor?
3. ¿*Dónde* / *De dónde* eres? *Where are you from*
4. ¿*Dónde* / *Qué* vives? *where do you live*

5. ¿*Cuál* / *Qué* es tu número de teléfono?
6. ¿*Cuántos* / *Cuáles* años tienes?
7. ¿*Qué* / *Dónde* haces? *What are you doing*
8. ¿*Qué* / *Cuál* estudias?

15. Completa las frases con el pronombre interrogativo que falta.

1. ¿A ...... *Qué* ...... te dedicas?
2. ¿...... *Como* ...... es él?
3. ¿...... *Que* ...... estudian las chicas?
4. ¿...... *Cuáles* ...... son tus apellidos? *last name*
5. ¿...... *Como* ...... te llamas?
6. ¿...... *Donde* ...... viven ellas?
7. ¿...... *de donde* ...... sois vosotros?
8. ¿...... *Cuantos* ...... años tienes?

/ 16

Total / 106

Noticias

para los pasajeros

Número 2

La educación en España

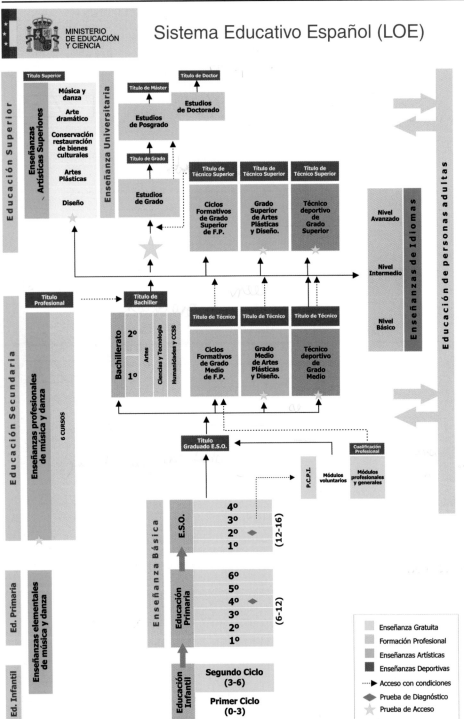

En España los centros de estudio pueden ser públicos, privados y concertados (gratis hasta los dieciséis años).

La enseñanza es obligatoria hasta los dieciséis años, es decir, hasta el final de la Educación Secundaria Obligatoria (ESO). La enseñanza se divide en ciclos formativos: educación infantil (no obligatoria); educación primaria; educación secundaria: ESO, bachillerato y formación profesional de grado medio; educación superior: enseñanza universitaria y ciclos formativos de grado superior.

Después del bachillerato hay una prueba especial para entrar en la universidad. Se llama *selectividad* o *Prueba de Acceso a la Universidad (PAU)*.

Las vacaciones son de dos meses y medio en verano: julio, agosto y los primeros quince días de septiembre. En Navidad hay vacaciones desde el 22 de diciembre al 8 de enero y también en Semana Santa. También hay fiestas nacionales: 1 y 6 de enero, 1 de mayo, 15 de agosto, 12 de octubre, 6, 8 y 25 de diciembre.

Adaptado de www.educacion.es

Cuestionario

1. ¿Cuántos años dura la educación primaria?
2. ¿A qué edad termina la Enseñanza Secundaria Obligatoria (ESO)?
3. ¿Qué se puede estudiar en bachillerato?
4. Después del bachillerato, ¿qué opciones hay?
5. ¿Cómo es en tu país? Comenta las semejanzas y las diferencias con tu compañero.

Nuevas profesiones

En España
Texto 1

Actualmente, en España, existen nuevas profesiones, por ejemplo: servicios de limpieza, cuidado de personas mayores, cuidado de niños, servicios de comunicación, etc.

Estas profesiones aparecen porque:
- Muchas mujeres trabajan y no tienen tiempo, por eso contratan a una persona o un servicio de limpieza.
- Debido a la nueva Ley de Dependencia, se necesitan nuevos profesionales para cuidar a personas mayores.
- Muchos padres que trabajan necesitan a personas para cuidar a los niños (en casa, en guarderías, etc.).
- Hay muchos niños y jóvenes que tienen problemas sociales (discriminación racial) y necesitan ayuda especializada.
- Vivimos en la sociedad de las nuevas tecnologías y por eso aparecen profesionales especializados en áreas de comunicación y telecomunicaciones.

Además existen también nuevas profesiones relacionadas con el turismo y el desarrollo cultural, el sector audiovisual, la difusión del patrimonio cultural, etc.

Adaptado de www.universitarios.universia.es

Cuestionario

Texto 1
1. **Di si son verdaderas o falsas estas afirmaciones:**

	V	F
a. Las nuevas profesiones necesitan nuevos profesionales.	☐	☐
b. Hay una nueva ley relacionada con la ayuda a personas mayores.	☐	☐
c. Actualmente hay más empresas de decoración.	☐	☐
d. Las profesiones relacionadas con el turismo desaparecen.	☐	☐

Texto 2
2. **Habla con tu compañero y contesta a las preguntas.**
   a. ¿Qué nivel de educación necesitan los nuevos profesionales?
   b. En el área de medio ambiente hay nuevas profesiones, ¿puedes decir otras tres áreas?
   c. ¿Qué necesitan las profesiones tradicionales?
   d. ¿Qué dos especializaciones se demandan más?

Busca información sobre tu país y contesta las preguntas.
1. ¿Hay nuevas profesiones en tu país? ¿Cuáles?
2. ¿Por qué existen estas profesiones?
3. ¿Coinciden con España o Argentina?

En Argentina
Texto 2

Actualmente, en Argentina, existen nuevas actividades que necesitan profesionales especializados.

Según un informe de la Organización Internacional del Trabajo, la tendencia son las profesiones y ocupaciones de cualificación media-alta, con un nivel de titulado superior o medio.

También hay demanda de especialistas en enfermería, cuidado de personas mayores, taxista o transportista, etc.

En Argentina, las áreas donde se concentran las nuevas profesiones son: medio ambiente, comunicación y telecomunicaciones, ocio, transporte y logística, empleo temporal, servicios financieros, construcciones e infraestructuras y asistencia a la tercera edad.

Muchas profesiones tradicionales deben actualizarse porque se necesitan especialistas, como directores de producción, ingenieros, biólogos, químicos, contadores, arquitectos y farmacéuticos.

La informática y el diseño gráfico son dos especializaciones muy demandadas.

Adaptado de www.universitarios.universia.es

Módulo

3

Objetivo

Hablar de las personas y del tiempo libre

Acciones

| Describes a una persona | Hablas de tu familia | Expresas tus gustos | Compartes tus gustos |

Competencias

Competencias pragmáticas
- Describir el físico y el carácter de una persona.
- Expresar intensidad.
- Expresar posesión.
- Hablar del estado civil.
- Hablar de conocimiento o des- conocimiento de algo o alguien.
- Expresar gustos. Acuerdo y desacuerdo (I).

Competencias lingüísticas
Gramática
- *Ser* + adjetivos para describir el físico y el carácter.
- Los adverbios de cantidad: *muy, bastante, un poco* + adjetivo.
- Los determinantes posesivos: *mi/s, tu/s, su/s, nuestro/a/s, vuestro/a/s, su/s.*
- El presente de indicativo del verbo *estar.*
- El presente de indicativo de los verbos irregulares: *saber* y *conocer.*
- El verbo *gustar* y los pronombres objeto indirecto: *me, te, le, nos, os, les. A mí también/tampoco.*

Léxico
- Los colores.
- La descripción física y de carácter.
- Las relaciones familiares.
- Los estados civiles.
- Las actividades de tiempo libre.

Fonética (ver cuaderno de ejercicios)

Competencia sociolingüística
- Deportistas de España e Hispanoamérica.
- Celebraciones familiares: la boda en España y México.

Participa en la comunidad de Embarque
B L O G
3

5 ¿Cómo eres?

rubia - blonde

Hablar del aspecto físico

¿Cómo es?
Es + adjetivo de descripción física.
Tiene
- pelo + rizado/liso,
  blonde rubio/moreno,
  corto/largo.
- *ojos* + color.
Está calvo.
Lleva/Tiene +
  barba/bigote/gafas.

Colores

⬛	Negro/a
⬛	Azul
⬛	Verde
⬛	Marrón
⬜	Blanco/a

OJOS AZULES
Todos somos diferentes.

a. Fíjate qué características físicas pueden tener las personas y relaciona cada texto con una de ellas.

pelo rubio y liso · alto · gafas · pelo moreno y corto
ojos marrones · viejo · joven
ojos azules · pelo rizado
delgada · bajo

1 2 3 4 5 6

a. ☐
Soy joven y guapa. Tengo el pelo moreno y un poco corto. Tengo los ojos marrones.

b. ☐
Soy alto y delgado. Tengo el pelo blanco y los ojos azules. Llevo gafas.

c. ☐
Soy joven y bajo. Tengo el pelo moreno y rizado. Tengo los ojos marrones.

b. ¿Y tú cómo eres? Completa la frase.

Soy ...., tengo el pelo .... y los ojos ....

c. Describe a estas personas.

 **1** Lucía

 **2** Jaime

 **3** Raúl

 **4** Emily

 Nov 23

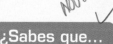

¿Sabes que...

en Hispanoamérica *guapo* se dice *lindo*?

1. Es ...., tiene el pelo .... y .... y los ojos .... Lleva ....
2. *Es ....*
3. ....
4. ....

11

2

¿DE QUIÉN HABLAN?

Escucha las descripciones de estos pasajeros. ¿De quién hablan?
Marca la opción correcta.

1 **2** **3** **4**

Expresar intensidad

Muy + adjetivo **+**
Bastante + adjetivo
Un poco + adjetivo **-**

3

Nov 23

INTELIGENTE

¿Cómo crees que son estas personas?

a. Escribe debajo de cada imagen un adjetivo de carácter del recuadro.

b. Compara con tu compañero.

• simpático/a • serio/a • antipático/a • alegre • tímido/a • inteligente

a. *alegre*   b. a. *serio*   c. i. *inteligente*   d. s. *seria*   e. s. *alegre*   f. t. *timida*

4

MIS AMIGOS SON MUY SIMPÁTICOS

Dos pasajeros hablan de sus amigos.

a. Lee qué dicen de su carácter y completa las frases.

novel

• Hola, ¿qué tal? ¿Viajas solo?
• No, viajo con dos amigos muy simpáticos.
• ¿Cómo se llaman tus amigos?
• Óscar y Lourdes.
• ¿Y cómo son?
• Óscar es muy inteligente y serio y Lourdes es muy, muy simpática y bastante optimista.
• Pues yo viajo con una amiga que se llama Montserrat.
• ¿Cómo es Montserrat?
• Es un poco tímida, pero muy inteligente también.

b. Y tú, ¿cómo eres?

Hablar del carácter

¿Cómo es?
Es + adjetivo de carácter.

Óscar es ....

Lourdes es M............

Montserrat es ....

Acción

DESCRIBES A UNA PERSONA

a. Piensa en un compañero de clase.
b. Escribe cómo es.
c. Lee la descripción a tus compañeros. Ellos tienen que adivinar quién es.

12

Gramática

Adjetivos posesivos
mi/s
tu/s
su/s
nuestro/a/s
vuestro/a/s
su/s

Verbo *estar*
estoy
estás
está
estamos
estáis
están

RELACIONES FAMILIARES

5 Una pasajera, Mónica, nos presenta a su familia.

a. Escucha lo que dice, lee el texto y escribe debajo de cada nombre la relación de parentesco.

> Mi familia no es muy grande. Mi **abuelo** se llama Miguel y mi **abuela** se llama Manuela. Mis abuelos están casados, son marido y mujer, y tienen tres hijos: Raúl, mi **padre**, Teresa, mi **tía**, y Jorge, mi **tío**. Mi tía Teresa está soltera y mi tío Jorge está casado con Fátima. Tienen dos hijos: Pablo y Carmen, que son mis **primos**. Teresa y Fátima son **cuñadas**. Mis padres, Raúl y Paloma, están casados y tienen dos hijos, mi **hermano** Hugo y yo. Mis abuelos tienen cuatro **nietos**: Hugo, Pablo, Carmen y yo. ¡Ah! Mi hermano y yo somos **sobrinos** de Jorge y Teresa.

Miguel	Manuela
abuelo	*abuela*

Raúl	Paloma	Teresa	Jorge	Fátima
Padre	*madre*	*tía*	*tío*	*tía*

Mónica	Hugo
yo	*hermano*

Pablo	Carmen
Nieto	*Nietas*

NOV 23

b. Completa las frases con el vocabulario anterior.

1. La hermana de mi padre es mi ...*tía*...
2. Yo soy la .....*nieta*... de mi abuela.
3. Mi hermano y yo somos los ...*sobrinos*... de nuestro tío.
4. Los hijos de mi tío son mis ....
5. Los padres de mis padres son mis ...*abuelos*...
6. El hijo de mi padre es mi ...*hermano*...

ESTOY SOLTER@

6 Jorge, el tío de Mónica, está casado y su tía, Teresa, está soltera.
¿Cuál es el estado civil de estas personas? Relaciona cada foto con un estado civil y escribe una frase.

1. Soltero/a **2.** Casado/a **3.** Divorciado/a **4.** Viudo/a

Hablar del estado civil

¿Estás + estado civil?
¿Cuál es tu estado civil?
Estoy + estado civil.

a.

3
Está divorciado.

b.

☐
Viudo

c.

☐
Casados

d.

☐
Soltera

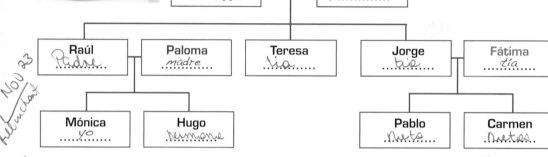

7 ENTREVISTA *ON-LINE*

Un pasajero famoso que viaja en el barco responde *on-line* a sus fans.

a. Relaciona cada pregunta con su respuesta.

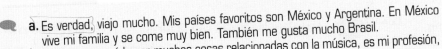

1. Hola, ¿qué tal? Eres muy guapo y cantas muy bien. ¿Sabes tocar la guitarra?
2. Hola. Yo sé que tú viajas mucho, pero ¿cuál es tu país favorito?
3. Hola, yo soy de Argentina, ¿conoces mi país?
4. Hola. ¿Conoces a cantantes famosos como Alejandro Sanz, Shakira o Juanes?
5. En tu nuevo disco hay una canción en italiano, ¿sabes italiano?
6. Tú sabes muchas cosas relacionadas con la música, pero ¿qué no sabes hacer?
7. Hola, eres muy simpático, ¿estás casado?

1	
2	
3	
4	
5	
6	
7	

a. Es verdad, viajo mucho. Mis países favoritos son México y Argentina. En México vive mi familia y se come muy bien. También me gusta mucho Brasil.

b. Es cierto que sé hacer muchas cosas relacionadas con la música, es mi profesión, pero no sé cocinar.

c. Noooo, no sé hablar italiano, solo sé decir *hola* en italiano. Se dice *ciao*. Solo hablo español, claro, inglés y un poco de portugués.

d. Sí, conozco a Juanes, somos buenos amigos, pero no conozco personalmente a Shakira ni a Alejandro Sanz.

e. Sí, sé tocar la guitarra, el piano y el saxofón.

f. Sí, claro. Conozco Buenos Aires y Rosario.

g. (ja, ja, ja) No, no estoy casado, estoy soltero. Soy muy joven.

b. Contesta las preguntas sobre el artista de la entrevista y con la información escribe un texto.

1. ¿Cuál es su estado civil?   3. ¿Cómo es físicamente?   5. ¿Qué no sabe hacer?
2. ¿A qué famosos conoce?   4. ¿Qué idiomas sabe?

to know   familiar with   Saber – fact, knowledge
Conocer – familiar with

SABER/CONOCER

8

Lee de nuevo la entrevista del ejercicio anterior y completa la tabla.

Preguntar por el conocimiento	Expresar conocimiento/desconocimiento
¿Saber + nombre/infinitivo? • ¿Sabes tocar la guitarra? • .... • .... ¿Conocer (a) + nombre? • .... •	(No) saber + nombre/infinitivo. • .... • .... • .... • .... (No) conocer + ciudad, país. • .... (No) conocer a + persona. • ....

Gramática

Verbo *saber*
sé
sabes
sabe
sabemos
sabéis
saben

Verbo *conocer*
conoz**zco** yo
conoces Tú
conoce el/ella/usted
conocemos nosotros
conocéis vosotros
conocen ellos/as/ustedes

 **Acción**

HABLAS DE TU FAMILIA

a. Trae a clase una foto de tu familia.
b. Explica a tu compañero quién es cada uno y qué relación tienen contigo y entre ellos.
c. Elige un familiar y explica cómo es su aspecto físico y su carácter.
d. ¿Qué cosas sabe o no sabe hacer?

Práctica
de gramática

La descripción física con *ser, tener* y *llevar*

1 Completa las frases con la forma adecuada de los verbos *ser*, *tener* o *llevar*.

1. Ramón .... gafas.
2. Rosa .... muy alta y delgada.
3. Mis hijos .... simpáticos.
4. Ana .... los ojos azules.
5. Nosotros .... el pelo corto.
6. María .... muy trabajadora.

El presente de indicativo de *estar*

2 Completa con las formas que faltan.

Estar
....
estás
....
estamos
....
....

3 Completa las frases con la forma correcta del verbo *estar*.

1. Yo .... divorciado y María .... soltera.
2. Mis tíos .... en Madrid.
3. ¿Qué tal .... (tú)?
4. (Vosotros) .... casados.
5. Nosotros .... solteros.
6. (Yo) .... en la escuela.

Los adverbios de cantidad: *muy, bastante...*

4 Ordena las palabras y escribe las frases.

1. un poco / padres / son / Mis / antipáticos ....
2. tienen / primas / el pelo / largo / muy / Tus ....
3. son / hermanos / inteligentes / bastante / Sus ....
4. Nuestra / muy / es / abuela / guapa ....

Los posesivos: *mi, tu...*

5 Completa con el posesivo adecuado.

1. Profesión (él) ....
2. Edad (vosotros) ....
3. Apellidos (ellos) ....
4. Estudios (ella) ....
5. Carácter (tú) ....
6. Nombre (yo) ....
7. Dirección (ustedes) ....
8. Nacionalidad (ellos) ....

El presente de indicativo de *saber* y *conocer*

6 Completa con las formas que faltan.

Saber	Conocer
	-cer > -zco (yo)
....	....
....	conoces
sabe	....
....	....
sabéis	....
....	conocen

7 Completa las frases con *saber* o *conocer*.

1. ¿(Tú) .... a mi padre?
2. (Yo) No .... Barcelona.
3. ¿(Vosotros) .... el apellido de Jorge?
4. (Ellos) .... a un actor muy famoso.
5. ¿(Tú) .... el número de teléfono de Margarita?
6. Nosotros no .... hablar árabe.
7. ¿(Tú) .... dónde vive Ana?
8. (Yo) .... los números en español.

Diario
a bordo

Chic@ contacta con chic@

1. En el barco viajan muchas personas diferentes y quieres conocer a nuevos amigos.
   a. Lee lo que escriben estos viajeros en el tablón de anuncios.

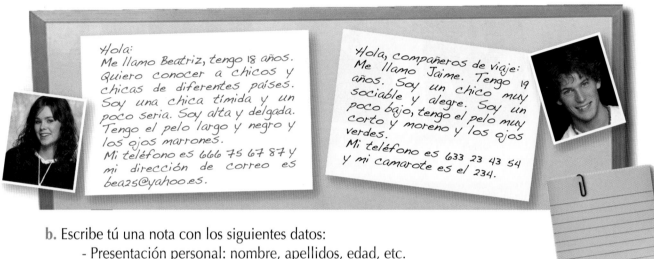

> *Hola:*
> *Me llamo Beatriz, tengo 18 años. Quiero conocer a chicos y chicas de diferentes países. Soy una chica tímida y un poco seria. Soy alta y delgada. Tengo el pelo largo y negro y los ojos marrones.*
> *Mi teléfono es 666 75 67 87 y mi dirección de correo es bea25@yahoo.es.*

> *Hola, compañeros de viaje:*
> *Me llamo Jaime. Tengo 19 años. Soy un chico muy sociable y alegre. Soy un poco bajo, tengo el pelo muy corto y moreno y los ojos verdes.*
> *Mi teléfono es 633 23 43 54 y mi camarote es el 234.*

   b. Escribe tú una nota con los siguientes datos:
   - Presentación personal: nombre, apellidos, edad, etc.
   - Descripción física y de carácter.
   - Forma de contacto: número de teléfono o dirección de correo electrónico.

Retratos de familia

2. En todos los países hay diferentes tipos de familias.
   Elige una imagen y descríbela.
   Tu compañero tiene que marcar la imagen que describes.

Participa en la comunidad de
Embarque

3

Usuario
Contraseña

mi familia favorita

   a. Piensa en una familia famosa del cine, la literatura, la política, la música, etc.
   b. Escribe un texto de presentación y habla sobre su relación de parentesco, descripción física y de carácter, gustos, etc.
   c. Entra en www.edelsa.es > zona estudiante > adultos y cuelga allí la información. Pon algunas fotos.

① BAILAR, CORRER

Observa las actividades que hacen tus compañeros en su tiempo libre.
Escribe debajo de cada actividad si te gusta (☺) o no te gusta (☹).

Expresar gustos

Me gusta / No me gusta

Gusta + { infinitivo

nombre singular

Gustan + nombre plural

1. Bailar

....

2. Correr

....

3. Tocar la guitarra

....

4. Leer

....

5. Pasear por la playa

....

6. Esquiar

....

7. Jugar al tenis

....

8. Montar a caballo

....

② CÓCTEL DE FAMOSOS

El sábado entrevistan a tres famosos que viajan en el barco.
Lee la ficha de cada uno para conocerlos mejor y completa la tabla.

Nombre: Pau Gasol
Fecha de nacimiento:
06/07/1980
Lugar de nacimiento:
Barcelona (España)
Profesión: Deportista
Gustos: No me gusta
levantarme pronto, pero me gusta
mucho ducharme por las maña-
nas. También me gusta bastante
Barcelona. Me gusta leer libros
de Antonio Machado, el cantante
Phil Collins y el fútbol. Me gustan
los Ángeles Lakers.

Nombre:
Salma Hayek
Fecha de nacimiento:
02/09/1966
Lugar de nacimiento:
Veracruz (México)
Profesión: Actriz y
modelo
Gustos: Me gusta desayunar en casa
todos los días. Me gusta pasear por
la playa y montar a caballo. Me gustan los deportes de riesgo y los animales. No me gusta hacer gimnasia
todos los días.

Nombre: Juan
Esteban Aristizábal
Vásquez (Juanes)
Fecha de nacimiento:
09/08/1972
Lugar de nacimiento:
Medellín (Colombia)
Profesión: Cantante
Gustos: No me gusta comer fuera de
casa. Me gusta mucho mi aparta-
mento. Me gusta escuchar música
antes de dormir, componer y tocar la
guitarra. Me gustan los coches. No
me gusta volar.

	Le gusta	Le gustan	No le gusta
A Gasol			
A Salma			
A Juanes			

Gramática

Verbo *gustar*

A mí)	**me**
A ti)	**te**
A él/ella/usted)	**le**
A nosotros/as)	**nos**
A vosotros/as)	**os**
A ellos/as/ustedes)	**les**

gusta/n

3 A MÍ ME GUSTA

Aquí tienes el verbo *gustar*.

a. Completa con los pronombres de objeto indirecto.

b. Clasifica las acciones del cuadro donde corresponden.

> • bailar • la casa de mi familia • nadar en la piscina • los deportes • viajar en tren • los museos
> • mis amigos • mi ciudad • los aviones • la música • montar a caballo • jugar al golf

A mí	....	
A	te	
A	le	
A ella	....	gusta
A usted	....	
A nosotros/as	....	
A	os	gustan
A	les	
A ellas	....	
A ustedes	....	

13

4 A MONTSE Y A ROCÍO LES GUSTA

Lee los siguientes minidiálogos.

a. Completa con el pronombre de objeto indirecto y el verbo *gustar*.

b. Escucha y comprueba.

• Mis compañeros de clase son muy diferentes. A Montse y a Rocío .... mucho hablar. A Roberto y a Miguel .... los animales. A Pedro y a María .... los deportes, pero no .... el fútbol ni el tenis. Y a tus compañeros, ¿qué ....?

• Pues a mis compañeros y a mí .... ver películas y viajar.

1

2

¿Sabes que...

en español, cuando la frase es negativa, se dice: *No me gusta el fútbol ni el tenis?*

• Jorge, ¿qué .... hacer los fines de semana?

• A mí .... dormir y salir con mis amigos por la noche, ¿y a vosotros?

• A mi hermano .... bailar en la discoteca y a mis amigos .... jugar al fútbol. A mí .... ir a la montaña.

EXPRESAS TUS GUSTOS

a. Elige un compañero.

b. Completa su ficha.

c. Presenta sus gustos a la clase.

Nombre: ....
Fecha de nacimiento: ....
Lugar de nacimiento: ....
Profesión: ....
Gustos:
Le gusta/n: ....
No le gusta/n: ....

5 ME GUSTA MUCHO

Aquí tienes una tabla con diferentes actividades.

a. Marca tus gustos.

Actividades	Me gusta/n mucho	Me gusta/n bastante	Me gusta/n un poco	No me gusta/n mucho	No me gusta/n	No me gusta/n nada
Cine y teatro						
Fútbol						
Música *rock*						
Bailar						
Fotografía						
Animales						

b. Escribe un breve texto explicando tus gustos.

14

6 A MÍ TAMBIÉN

Unos amigos hablan sobre sus gustos.

a. Escucha y lee lo que dicen.

Entrevistador:	Hoy hacemos una encuesta a unos amigos para conocer sus gustos. A ver, Mar, ¿te gusta viajar?
Mar:	Sí. Me gusta mucho viajar, especialmente a países de culturas diferentes. Me gusta conocer otras costumbres y comer cosas diferentes.
Entrevistador:	¿Y a ti, Hugo?
Hugo:	Pues a mí también me gusta viajar y conocer culturas diferentes. Pero no me gusta comer cosas diferentes. Me gusta la comida de mi país.
Entrevistador:	¿Y a ti, Paco?
Paco:	Sí, a mí también me gusta mucho viajar y conocer otras culturas, pero tampoco me gusta comer cosas de otros países.
Entrevistador:	Y los deportes, ¿os gustan?
Mar:	A mí me gustan bastante, especialmente el tenis, pero no me gusta el fútbol.
Hugo:	A mí no me gusta el tenis. Me gusta más el fútbol.
Paco:	A mí me gusta el tenis, pero el fútbol no me gusta nada.
Entrevistador:	Y la última pregunta, ¿qué asignatura os gusta más?
Mar:	A mí me gustan las Matemáticas, pero no me gusta nada la Química.
Hugo:	A mí tampoco me gusta la Química, pero sí me gustan las Matemáticas.
Paco:	Pues a mí me gustan las dos. Son mis asignaturas favoritas.
Entrevistador:	Muy bien, chicos, muchas gracias por todo.

Expresar acuerdo y desacuerdo

Me gusta bailar.

A mí también.

A mí no.

No me gusta bailar.

A mí tampoco.

A mí sí.

1. A Mar le gusta mucho viajar.

 A Hugo .... A Paco ....

2. A Mar le gusta conocer otras culturas.

 A Hugo .... A Paco ....

3. A Mar le gusta comer cosas de diferentes culturas.

 A Hugo .... A Paco ....

4. A Mar le gusta el tenis.

 A Hugo .... A Paco ....

5. A Mar no le gusta el fútbol.

 A Hugo .... A Paco ....

6. A Mar no le gusta nada la Química.

 A Hugo .... A Paco ....

7 A MÍ NO

Lee estas afirmaciones y reacciona expresando acuerdo o desacuerdo.

1 A Estela y a Enrique no les gustan los exámenes.

2 A nosotros nos gusta cocinar.

3 A ellos no les gusta ni el cine ni el teatro.

4 A él no le gusta cantar.

5 A nosotros nos gusta montar a caballo.

6 A Laura le gusta ir a conciertos.

7 A ustedes les gustan las exposiciones de fotografía.

8 A vosotros os gusta la música y la comida españolas.

Acci**⏣**n

COMPARTES TUS GUSTOS CON OTROS

a. Elige cuatro actividades de la lista.

b. Pregunta a tu compañero si le gusta o no hacer estas cosas.

c. ¿Tenéis los mismos gustos? Expresa acuerdo y desacuerdo.

- Bailar
- Esquiar
- Viajar
- Los animales
- Los deportes de riesgo
- El tenis
- Ir a la montaña

¿Te gusta bailar?

Sí, me gusta mucho bailar.

Acuerdo

A mí también.

A mí no. **Desacuerdo**

Práctica
de gramática

El verbo *gustar* y los pronombres de objeto indirecto

1 Completa las frases según la información de la página 51, ejercicio 3.

Usamos la forma *gusta* cuando después del verbo *gustar* hay un .... o un .... en singular.

Usamos *gustan* cuando después hay un .... en plural.

2 Selecciona la forma correcta.

1. Juan, ¿te *gusta / gustan* la natación?

2. Me *gusta / gustan* estar con mis amigos.

3. ¿Os *gusta / gustan* la montaña?

4. A mi hermano no le *gusta / gustan* los deportes.

5. A nosotros nos *gusta / gustan* comer en restaurantes argentinos.

6. A mis amigos les *gusta / gustan* la playa y la montaña.

3 Completa con los pronombres de OI que faltan.

(a mí)	me
(a ti)	....
(a él/ella/usted)	....
(a nosotros/as)	....
(a vosotros/as)	....
(a ellos/as/ustedes)	....

4 Completa con el pronombre de OI + *gusta/n*.

1. A mí .... conocer nuevas culturas.

2. A Rocío y a Montse .... escuchar música.

3. A ti .... el mar.

4. A Carlos y a mí .... los museos.

5. A Juan y a Luis no .... ir al teatro.

6. A ti y a tus amigos .... el tenis y el fútbol.

5 Ordena las palabras y escribe las frases.

1. gusta / No / el cine / me / nada

2. les / los animales / A ellos / gustan / un poco

3. A mi madre / hablar por teléfono / mucho / gusta / le

4. no / Las Matemáticas / gustan / le

5. nadar / gusta / Me / bastante

6. os / viajar en avión / gusta / No / mucho

6 Escribe frases con estas palabras. Haz transformaciones si es necesario.

1. Tú / gustar / bastante / cine

2. Yo / no gustar / viajar / en tren

3. Miguel / gustar / mucho / deportes

4. Tú y yo / no gustar / playa

5. Tú y tus amigos / gustar / un poco / jugar al fútbol

6. Laura y Lucía / gustar / música

7 Reacciona mostrando acuerdo con *a mí también/a mí tampoco* o desacuerdo con a *mí sí/a mí no*.

1. A mí no me gusta cocinar.

2. A nosotros nos gustan el tenis y el fútbol.

3. A ellos les gustan los museos.

4. A Raúl no le gusta chatear.

5. A Elia y a Jaime les gusta la piscina.

6. A Carlos no le gusta bailar ni cantar.

Conversaciones a bordo

Entrevisto a...

1. **a.** Entrevista a tu compañero y completa el formulario con su información.
   b. Presenta los resultados a la clase.

FORMULARIO

- ✔ NOMBRE Y APELLIDO/S: ....
- ✔ FECHA DE NACIMIENTO: .... / .... / ....   SEXO: M ☐ H ☐
- ✔ NACIONALIDAD: ....
- ✔ DOMICILIO: ....
- ✔ C.P.: .... PROVINCIA: ....
- ✔ ESTADO CIVIL: ....
- ✔ CORREO ELECTRÓNICO: ....
- ✔ PROFESIÓN: ....

- ✔ ¿Qué lenguas sabes hablar?
  ....
- ✔ ¿Qué países conoces?
  ....
- ✔ ¿Qué países de habla hispana conoces?
  ....
- ✔ ¿Qué museos conoces?
  ....
- ✔ ¿Qué famosos hispanos conoces?
  ....

La ruleta de los gustos

2. Completa la ruleta con tus gustos personales. ¿Coinciden con los de tu compañero? ¿Estás de acuerdo con él? Toma notas y preséntalo a la clase.

MÚSICA, CANTANTES

PELÍCULAS

COMIDAS

PAÍSES

¿Qué... te gusta/n?

BEBIDAS

ACTIVIDADES CULTURALES

LUGAR DE VACACIONES

DEPORTES

Refuerza
la gramática del módulo 3

La descripción física con *ser, tener* **y** *llevar*

1. Elige el verbo adecuado.

1. Raúl *es / tiene* rubio.
2. Ellas *son / tienen* el pelo corto.
3. Tú *eres / llevas* muy simpático.
4. Carlos y Marta *son / tienen* jóvenes.
5. Nosotros *somos / llevamos* gafas.
6. Ustedes *tienen / llevan* los ojos verdes.
7. Vosotros *sois / tenéis* altos.
8. Roberto y yo *somos / tenemos* amables.

2. Clasifica las siguientes palabras en la columna adecuada.

alto	simpático	ojos verdes	calvo	pelo liso
moreno	bajo	gordo	gafas	trabajador
tímido	rubio	pelo corto	barba	bigote

ser	*tener*	*llevar*

/ 23

Los determinantes posesivos

3. Completa con el posesivo que falta.

Determinantes posesivos				
	singular		plural	
	masculino	**femenino**	**masculino**	**femenino**
Yo			mis	
Tú			tus	
Usted, él, ella	su			
Nosotros/as	nuestro			nuestras
Vosotros/as		vuestra	vuestros	
Ustedes, ellos, ellas				

4. Transforma las frases como en el ejemplo.

1. La hermana de Jesús. .... *Su hermana.* ....
2. Las amigas de Rafael y Roberto. ....
3. El coche de Rosa. ....
4. Los primos (de ti). ....
5. Los abuelos de Ana y (tú). ....
6. La familia de Carlos. ....
7. La madre de mi hermano y (yo). ....
8. Las primas de mis padres. ....

5. Escribe el determinante posesivo adecuado.

1. (Ella) .... hermana es tímida.
2. (Ustedes) .... coches son nuevos.
3. ¿Cómo se llama (tú) .... profesor?
4. Ana es (él) .... novia.
5. (Ellas) .... padres están divorciados.
6. ¿(Vosotros) .... amigos viven aquí?
7. ¿Cuál es (vosotros) .... casa?
8. Ella es (yo) .... hermana.

/ 24

El presente de indicativo del verbo *estar*

6. Elige la opción correcta.

1. ¿Qué tal *está / estás* usted, Sr. Romero?
2. Belén y Javier *estamos / están* en Pekín.
3. Mis hijos *estamos / están* alegres.
4. Nosotros no *estamos / están* enfadados con ellos.
5. ¿Tú *estás / estáis* soltero?
6. Los estudiantes *estamos / están* contentos. No hay examen.
7. Mis padres *está / están* divorciados.
8. (Yo) no *estoy / está* casada.

7. Completa con el verbo *estar*.

1. Nuestros amigos .... casados.
2. (Yo) .... muy contenta.
3. Mis padres .... divorciados.
4. ¿Vosotras .... solteras?
5. Carmen y Esther .... alegres.
6. Ustedes .... en Madrid.
7. Hola, Ana y Rosa, ¿qué tal ....?
8. Ellos .... casados, pero no .... contentos.

/ 17

El presente de indicativo de *saber* y *conocer*

8. Elige la opción correcta.

1. No *sé / conozco* Barcelona.
2. ¿*Sabes / Conoces* hablar español?
3. No *sabemos / conocemos* qué pasa.
4. *Saben / Conocen* a muchos famosos.
5. No *sabemos / conocemos* su dirección.
6. Ellas *saben / conocen* a muchas personas.
7. ¿*Sabes / Conoces* el Museo del Prado?
8. ¿*Sabes / Conoces* dónde está la estación de metro?

/ 8

El verbo *gustar* y los pronombres de OI.

9. Completa con *gusta / gustan*.

1. A mí me .... mucho el fútbol.
2. No le .... los deportes.
3. Les .... la comida española.
4. ¿Te .... hablar español?
5. A ellos les .... viajar.
6. A ellas no les .... los animales.
7. A nosotros nos .... las clases.
8. A vosotros os .... la música.

10. Completa con el pronombre de OI.

1. ¿A usted .... gusta trabajar en esa oficina?
2. A nosotras no .... gustan las Matemáticas.
3. A los chicos .... gusta tocar la guitarra.
4. A mi novia .... gustan las aceitunas.
5. A mí no .... gustan los aviones.
6. ¿A vosotras .... gusta la playa?
7. A ellos .... gusta ir al cine.
8. A ti .... gusta el teatro.

11. Ordena las palabras y escribe una frase con el verbo *gustar*.

1. Él / Picasso / muchísimo ....
2. Usted / el deporte / bastante ....
3. Ana y Luisa / los animales / nada ....
4. Nosotros / el teatro ....
5. Tú / esquiar / bastante ....
6. Ustedes / chatear / mucho ....
7. Vosotros / estudiar / poco ....
8. Yo / el flamenco / mucho ....

/ 24

Total / 96

Noticias

para los pasajeros

Número 3

Deportistas de España e Hispanoamérica

Fernando Alonso

Iker Casillas

Sergio Kun Agüero

En España y prácticamente en todo el mundo el deporte más popular es el fútbol. Uno de los jugadores más famosos es Raúl González, ganador de seis campeonatos de liga, cuatro supercopas de España, tres copas de Europa, etc. Destaca también Iker Casillas, denominado mejor portero del mundo entre 2008 y 2009 y actual capitán del Real Madrid. También *el niño*, Fernando Torres, tiene fama internacional.

Entre los deportistas de Hispanoamérica destacan Lionel Messi del Fútbol Club Barcelona y Sergio Agüero del Atlético de Madrid.

Además del fútbol hay otros deportes donde los españoles son bastante conocidos: Rafael Nadal (tenis), Pau Gasol (baloncesto), Jorge Lorenzo y Dani Pedrosa (motociclismo), Fernando Alonso (automovilismo), Gemma Mengual (natación sincronizada), Edurne Pasabán (alpinismo), etc.

Adaptado de varias fuentes.

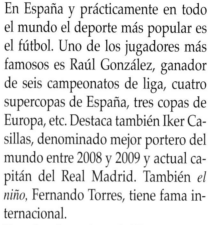
Pau Gasol

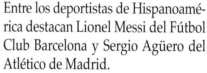

Edurne Pasabán

Fernando Torres

Lionel Messi

Rafael Nadal

Cuestionario

1. ¿Te gusta el fútbol? ¿Cuál es tu equipo favorito?
2. ¿Qué famosos deportistas del mundo hispano conoces?
3. ¿Qué deportes se practican en tu país? ¿Cuáles te gustan más?

Celebraciones familiares: la boda

En España

Actualmente, España ocupa el séptimo lugar dentro de la Unión Europea en número de bodas. Según la tradición, en España:

- La novia debe usar algo viejo, algo nuevo, algo prestado y algo azul.
- En las bodas hay un padrino (generalmente el padre de la novia) y una madrina (la madre del novio).
- Los anillos significan fidelidad. En España, en general, el anillo se pone en la mano derecha.
- Durante la ceremonia, el novio da a la novia trece monedas de oro, las arras, que significan que el novio se compromete a mantener a la novia económicamente.

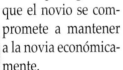

  - Cuando los novios salen de la iglesia o del juzgado, los invitados les tiran arroz como símbolo de fertilidad.
  - Al final de la comida los padrinos dan a los invitados un recuerdo de ese día, por ejemplo, un abanico.
  - Los novios abren el baile con un vals.

Adaptado de varias fuentes.

En México

En la actualidad, el número de matrimonios en México supera los 600.000. La edad media para casarse es de 27,8 años para los hombres y de 25 para las mujeres.
En México:

- Durante los votos matrimoniales (promesas que hacen los novios), se pone un lazo alrededor del cuello de los novios como símbolo de unión.
- Durante la ceremonia, la pareja besa un crucifijo. Esto significa que los novios van a ser fieles el uno con el otro y también con la Iglesia.
- Antes de comer, los invitados se dan la mano y forman un corazón alrededor de los recién casados. Entonces los novios comienzan el baile.
- Durante la comida los hombres toman al novio sobre sus hombros y lo suben y bajan en el aire.
- Muchas bodas mexicanas terminan con la actuación de un mariachi que canta delante de los novios.

Adaptado de varias fuentes.

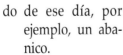

Cuestionario

Después de leer los textos relacionados con las bodas en España y en México, habla con tus compañeros.

1. ¿Qué costumbre te parece más curiosa de las bodas en estos países?
2. En general, ¿qué diferencias hay con las bodas en tu país?
3. Si estás casado, explica tu boda.

Módulo

4

Objetivo

Describir el entorno cotidiano

Acciones

| Describes tu casa | Describes tu habitación | Explicas qué haces un día | Te informas sobre las actividades de otros |

Competencias

Competencias pragmáticas
- Describir una vivienda.
- Ubicar objetos.
- Describir muebles y objetos.
- Hablar del día de la semana.
- Hablar de horarios (I).
- Preguntar y decir la hora.
- Expresar frecuencia.

Competencias lingüísticas
Gramática
- Las contracciones: *al* y *del*.
- Las preposiciones y locuciones preposicionales de lugar: *en, entre, en el centro (de), alrededor (de), al final (de), detrás (de), delante (de), encima (de)...*
- El presente de indicativo de los verbos irregulares: *dormir, vestirse, despertarse, acostarse.*
- Los verbos reflexivos: *lavarse, levantarse, ducharse, bañarse...*
- Los adverbios de frecuencia: *siempre, a veces, nunca, todos los días, normalmente...*

Léxico
- Los tipos de viviendas y sus partes.
- Las características de una vivienda.
- Los muebles y objetos domésticos.
- Los colores y las formas.
- Los días de la semana.
- Las acciones habituales.

Fonética (ver cuaderno de ejercicios)

Competencia sociolingüística
- Edificios emblemáticos: el Palacio Real de Madrid y la Casa Rosada de Buenos Aires.

Participa en la comunidad de Embarque
B L O G 4

7 Vives en un piso

1 ## TIPOS DE VIVIENDA

Los pasajeros del barco viven en casas diferentes.
Observa los planos y contesta las preguntas.
a. ¿Qué vivienda tiene más habitaciones? ¿Y menos?
b. ¿Se corresponde alguna con tu casa?

a. un piso

b. un apartamento

c. un estudio

d. un chalé

2 ## EL SALÓN-COMEDOR

Observa el plano de esta vivienda y con las palabras que te damos completa los huecos que faltan.

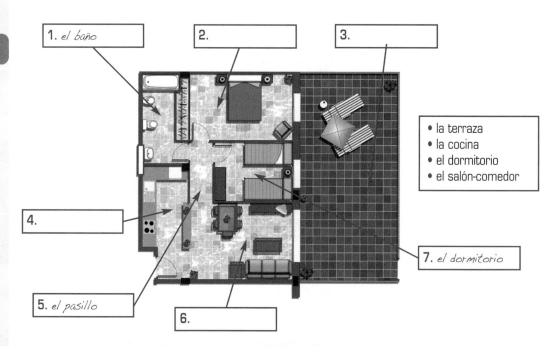

1. el baño
2.
3.

• la terraza
• la cocina
• el dormitorio
• el salón-comedor

4.

7. el dormitorio

5. el pasillo

6.

3 PISO EXTERIOR

En el periódico del barco hay información sobre venta y alquiler de viviendas.
Lee los anuncios y marca las características que tienen.

Noticias

para los pasajeros

INMOBILIARIA

VENTA

1. PISO nuevo, exterior, 3 dormitorios, 2 baños, salón grande, cocina, 2 terrazas, calefacción individual, aire acondicionado, ascensor y garaje. 303.500 euros. Tel. 689 90 98 78

2. VENDO piso interior, centro ciudad, 2 dormitorios, baño completo, cocina amueblada, calefacción central, garaje. Bien comunicado. Edificio nuevo. Jardines. 295.000 euros. Tel. 912 33 44 55

ALQUILER

3. ALQUILO estudio, 30 m². Céntrico. 400 euros. Ana. Tel. 629 76 85 61

4. ALQUILO piso nuevo, a las afueras de la ciudad, exterior, 2 dormitorios, cocina, 2 baños, salón, garaje, ascensor, aire acondicionado, calefacción individual, 2 balcones. Contacto: carmenperez@hotmail.com

	Anuncio: 1	2	3	4
Tiene aire acondicionado	☐	☐	☐	☐
Está en el centro de la ciudad	☐	☐	☐	☐
Tiene dos baños	☐	☐	☐	☐
Tiene garaje	☐	☐	☐	☐

	Anuncio: 1	2	3	4
Tiene balcones	☐	☐	☐	☐
Tiene calefacción individual	☐	☐	☐	☐
Está a las afueras de la ciudad	☐	☐	☐	☐
Tiene ascensor	☐	☐	☐	☐

15

4 ¿CÓMO ES SU VIVIENDA?

Los pasajeros hablan sobre sus viviendas.
Escucha los resultados de la encuesta que les hacen y completa con la información adecuada.

Describir una vivienda

¿Cómo es tu casa?
Es + adjetivo.
Tiene + características
Está + ubicación.

JAIME	LUCÍA	RAÚL
Tipo de vivienda:	Tipo de vivienda:	Tipo de vivienda: ....
N.º de dormitorios:	N.º de dormitorios:	N.º de dormitorios: ....
Salón-comedor ☐	Salón-comedor ☐	Salón-comedor ☐
Terraza ☐	Terraza ☐	Terraza ☐
Cuarto de baño ☐	Cuarto de baño ☐	Cuarto de baño ☐
Cocina ☐	Cocina ☐	Cocina ☐
Garaje ☐	Garaje ☐	Garaje ☐

Acción

DESCRIBES TU CASA

a. Dibuja el plano de tu casa.
b. Escribe el nombre de cada habitación.
c. Describe tu casa.

Mi casa es... y tiene...

5 ESTANTERÍA, SILLA

En el barco hay una exposición de muebles y objetos para el hogar.

a. Escribe, debajo de cada foto, el nombre correspondiente.

> • el armario • el lavabo • el sillón • el sofá • la cama • la cocina • el microondas • la lámpara
> • la mesilla • el frigorífico • la TV • la silla • la mesa • la bañera • la estantería • la lavadora

1. *la t* ....

2. *el s* ....

3. *la l* ....

4. *el a* ....

5. *la m* ....

7. *la c* ....

6. *el m* ....

13. *la l* ....

8. *la c* ....

9. *la e* ....

10. *el s* ....

11. *la s* ....

12. *el f* ....

14. *la m* ....

15. *la b* ....

16. *el l* ....

Ubicar objetos

¿Dónde está/n el/la/los/las...?
Está/n + ubicación.
El/la/los/las... está/n + ubicación.

b. Clasifica cada mueble en su habitación.

El baño	El dormitorio	El salón	La cocina

6 ¿DÓNDE ESTÁ?

a. Observa dónde está el ratón y lee las frases.

• está detrás (de)
• está delante (de)

• está a la derecha (de)
• está a la izquierda (de)

• está encima (de)
• está debajo (de)

• está al lado (de)
• el ordenador está entre los ratones

16

Ubicaciones

Enfrente

Al final

En el centro

Alrededor

Gramática

Contracción del artículo

a + el = **al**

de + el = **del**

7

Colores y formas

Amarillo/a

Gris

Naranja

Rojo/a

Rosa

Violeta

Rectangular

Cuadrado/a

Redondo/a

---

b. Mira ahora el plano de la casa y señala si son verdaderas (V) o falsas (F) las siguientes afirmaciones.

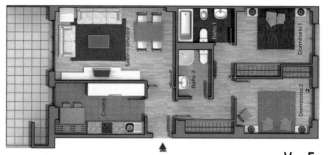

	V	F
1. Las sillas están alrededor de la mesa.	☐	☐
2. La cocina está enfrente del armario.	☐	☐
3. El sofá está delante de la mesa.	☐	☐
4. La bañera está al lado del lavabo.	☐	☐
5. El frigorífico está en el centro de la cocina.	☐	☐
6. La cama está entre las mesillas.	☐	☐
7. La TV está enfrente de la mesa del salón.	☐	☐

EL SALÓN DE TÉ

Escucha la descripción del salón de té que hay en el barco.
¿De qué salón hablan, A o B? Márcalo.

Acción

Describir muebles y objetos

¿Cómo es...?

Es + adjetivo.

DESCRIBES TU HABITACIÓN

a. Pregunta a tu compañero cómo es su habitación: qué objetos y muebles tiene, cómo son y dónde están.

b. Tu compañero dibuja tu habitación.

¿Cómo es tu habitación?

Es muy grande...

Práctica
de gramática

Las contracciones: *al, del*

1 Completa con *al, a la, del, de la.*

1. El teléfono está encima .... mesa.
2. El sofá está en el centro .... salón.
3. La silla está .... lado .... lavabo.

4. La cama está cerca .... estantería.
5. Vamos .... habitación grande.
6. El dormitorio está .... final .... pasillo.

Las preposiciones y locuciones preposicionales: *en, delante de...*

2 a. Observa el plano y contesta si son verdaderas o falsas las siguientes afirmaciones.

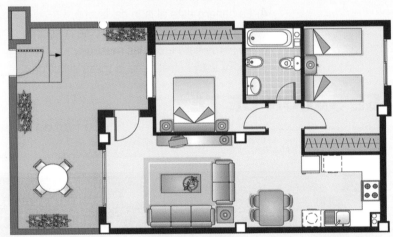

	V	F		V	F
1. La mesa cuadrada está en la cocina.	□	□	5. La televisión está encima del mueble del salón.	□	□
2. La cama está a la derecha del armario.	□	□	6. El baño está entre los dormitorios.	□	□
3. La mesilla está al lado de las camas pequeñas.	□	□	7. El sofá está enfrente de la televisión.	□	□
4. El lavabo está delante de la bañera.	□	□	8. La mesa redonda está en el centro de la terraza.	□	□

b. Escribe otras ubicaciones.

1. ....
2. ....
3. ....

4. ....
5. ....
6. ....

3 Completa los minidiálogos con las preguntas y respuestas del cuadro.

> • *¿Dónde está la mesa?* • *Es un apartamento pequeño* • *Está al lado de la televisión*
> • *Es grande y rectangular* • *¿Cómo es?* • *Es rojo* • *Está a las afueras de la ciudad* • *¿Dónde está?*

1
A: ¿Cómo es tu salón?
B: ....
A: ¿Tienes sofá?
B: Sí, ...
A: ¿Dónde está?
B: ....

2
A: ....
B: Está en la cocina.
A: ....
B: Es cuadrada y marrón.

3
A: ¿Cómo es tu vivienda?
B: ...., pero es exterior y tiene aire acondicionado.
A: ....
B: ....

Conversaciones a bordo

Alquilo mi piso

1. Ahora vives en otra ciudad y quieres alquilar tu piso.

   a. Completa el siguiente formulario y marca las características de tu vivienda.

   b. Explica a la clase cómo es tu vivienda y encuentra un inquilino.

FORMULARIO

DATOS PERSONALES   **INMOBILIARIA EMBARQUE**

NOMBRE Y APELLIDO/S: ....

FECHA DE NACIMIENTO: .... / .... / ....

TELÉFONO FIJO: ....

CORREO ELECTRÓNICO: .... TELÉFONO MÓVIL: ....

DIRECCIÓN

Calle/plaza/avenida: ....

N.º ....

C.P.: .... Piso: ....

.... Ciudad: ....

Características de la vivienda (marcar con una x):

Tipo de vivienda: estudio ☐   chalé ☐   apartamento ☐   piso ☐

N.º de habitaciones: ....

Describe cómo es tu vivienda:

....

¿Qué servicios tiene? (marcar con una x):

ascensor ☐   calefacción central ☐   calefacción individual ☐

jardín ☐   garaje ☐   bien comunicada ☐

Comentarios:

....

....

Mi habitación favorita

2. Aquí tienes fotos de diferentes habitaciones de una casa.

   a. Descríbelas.

   b. ¿Cuál es tu habitación favorita? ¿Por qué?

8

Un día en el barco

1

MIÉRCOLES, DOMINGO

Estos son los días de la semana, pero no están todos.
Completa el calendario con los nombres del recuadro.

¿Sabes que…

el plural de los días de la semana se forma con el artículo en plural?
El lunes/los lunes.

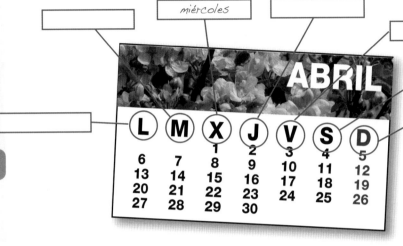

miércoles

domingo

ABRIL

L	M	X	J	V	S	D
6	7	1	2	3	4	5
13	14	8	9	10	11	12
20	21	15	16	17	18	19
27	28	22	23	24	25	26
		29	30			

- viernes
- lunes
- jueves
- sábado
- martes

2

ACCIONES HABITUALES

Observa qué hacen los pasajeros un día normal.

a. Escribe debajo de cada imagen el verbo correspondiente.

> • acostarse • levantarse • ducharse • vestirse • dormir • comer • cocinar
> • leer el periódico • desayunar • enviar un correo • ir al trabajo • hablar por teléfono

Gramática

Verbo *vestirse*
me visto
te vistes
se viste
nos vestimos
os vestís
se visten

Verbo *despertarse*
me despierto
te despiertas
se despierta
nos despertamos
os despertáis
se despiertan

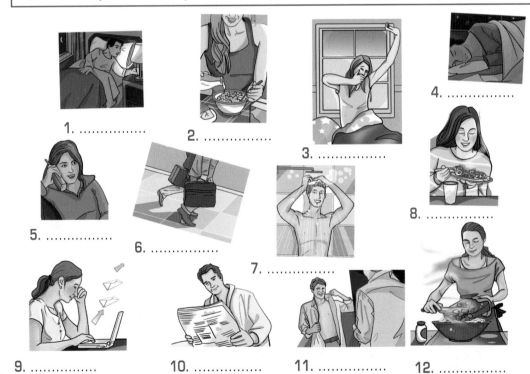

1. ....

2. ....

3. ....

4. ....

5. ....

6. ....

7. ....

8. ....

9. ....

10. ....

11. ....

12. ....

b. Cuenta un día normal de tu vida.

ME LEVANTO PRONTO

Un pasajero escribe un correo electrónico a su familia.
Lee el texto y contesta las preguntas.

Hola, familia:
¿Qué tal? Yo estoy bien. El viaje en barco es fantástico. Siempre estoy muy ocupado.
Por las mañanas me despierto con las olas del mar. Todos los días me levanto pronto, a las 7:00 h para ver salir el sol. ¡Es genial!
Hoy es lunes y normalmente los lunes me despierto con mi amiga Elena. En el barco el desayuno es a las 9:00 h de la mañana todos los días. Después, Elena y yo leemos el periódico y nadamos en la piscina. Los viernes siempre vemos una película en la sala de cine del barco y cenamos con nuestros amigos. La cena es siempre a las 20:30 h. Los sábados por la mañana hago algo de deporte y por la noche, a las 23:30 h, Elena y yo vamos a la discoteca y bailamos mucho. Siempre nos acostamos muy tarde, a las 3:00 h de la mañana.
Este viaje es muy interesante. Un beso. Roberto.

a. ¿Qué actividades hace Roberto? ¿Cuándo? Completa con el infinitivo.
1. .... 2. .... 3. ....

b. ¿Qué actividades hacen Roberto y Elena? ¿Cuándo? Completa con el infinitivo.
1. .... 3. .... 5. .... 7. ....
2. .... 4. .... 6. .... 8. ....

SON LAS NUEVE Y VEINTE

Los relojes del barco marcan la hora de los diferentes países.
a. Completa con las expresiones del recuadro.

- menos diez
- y veinte
- menos veinticinco
- y cinco
- y veinticinco

menos cinco ....
en punto
.... y diez
menos cuarto
y cuarto
menos veinte ....
.... y media

b. Escribe en letras qué hora es.

1. .... 2. .... 3. .... 4. .... 5. ....

EXPLICAS QUÉ HACES UN DÍA

a. Elige cinco actividades cotidianas.
b. Explica a tu compañero cuándo las haces.

Los lunes y los jueves voy a la biblioteca a las 18:00 h.

MI HORARIO

Pablo chatea con una amiga sobre el horario que tiene los lunes.

a. Lee el texto y completa el diálogo con la información que falta.

Horario lunes

Mañana
6:00 Levantarse.
6:45 Desayunar con Laura.
12:30 Comer con compañeros.

Tarde
15:00 Trabajar en una ONG.
19:00 Cenar en casa.
20:00 Chatear con Carlos.

Noche
22:00 Acostarse.

- ¡Hola, Pablo!, ¿qué tal estás?, ¿qué tal en Venezuela?
- ¡Hola, Adriana! Estoy bien. Vivir aquí es un poco difícil porque los horarios son diferentes, pero me gusta mucho.
- ¿Qué es diferente?
- Pues mira, por ejemplo, hoy es lunes y los lunes, normalmente, ...*me levanto*.. muy temprano, a las .... de la mañana porque tengo prácticas de laboratorio. A las .... siempre .... con Laura, mi compañera de piso.
  Después estudio en la universidad y a veces .... con mis compañeros de clase.
- Y por la tarde, ¿qué haces?
- Por la tarde, a las .... siempre .... como voluntario en una ONG que ayuda a niños pequeños.
- ¿Cenas en casa?
- Sí, todos los días .... en casa, a las ...., y a veces chateo con Carlos, mi amigo de Chile. Se conecta a las .... Nosotros nunca hablamos por teléfono. Siempre .... temprano, a las ....
- Ufff… los lunes tienes mucho trabajo.

Español Lengua Extranjera

ONG
Profesores por el mundo

Expresar frecuencia

Siempre   **+**
Todos los días
Normalmente
A veces
Nunca   **–**

b. Lee otra vez el diálogo y di con qué frecuencia hace Pablo estas cosas:

1. Levantarse temprano: *normalmente*
2. Desayunar con Laura: ....
3. Comer con los compañeros: ....
4. Colaborar en una ONG: ....
5. Cenar en casa: ....
6. Chatear con Carlos: ....

6 AHORA TÚ

¿Con qué frecuencia haces estas actividades?
Escribe una frase debajo de cada foto.

1. ....

2. ....

3. ....

4. ....

5. ....

6. ....

7. ....

8. ....

7 EN EL GIMNASIO

17

Escucha la conversación de estos pasajeros. ¿Con qué frecuencia hacen estas acciones? Completa la tabla.

	Jaime	Lucía	Elia
Ir al gimnasio			
Hacer yoga			
Cocinar			
Comer en casa			

TE INFORMAS SOBRE LAS ACTIVIDADES DE OTROS

a. Pregunta a tres compañeros con qué frecuencia hacen estas actividades durante sus vacaciones.

b. Explícalo al resto de la clase.

> ¿Con qué frecuencia haces gimnasia?

Actividades	Compañero 1	Compañero 2	Compañero 3
Hacer deporte			
Leer el periódico			
Nadar			
Tomar el sol			
Ir de compras			

Práctica
de gramática

Los verbos reflexivos: *peinarse, bañarse...*

1 Clasifica estos verbos en el grupo correcto.

bañarse, lavar, conducir, afeitarse, duchar, ducharse, despertar, levantar, acostarse, desayunar, vestirse, peinarse, cenar, chatear, despertarse

Verbo reflexivo	Verbo no reflexivo

2 Completa las frases con el verbo reflexivo en la forma adecuada.

1. María (lavarse) .... la cara y Ernesto (ducharse) ....
2. -¿A qué hora (levantarse, tú) ....?
   -(Levantarme, yo) .... a las 8:00 h.
3. Siempre (acostarse, ellos) .... a las 23:30 h.
4. -¿(Acostarse, vosotros) .... tarde?
   -No, siempre (acostarse, nosotros) .... temprano.
5. Mi hermano (bañarse) .... en el mar.
6. Todos los días (despertarse, yo) .... temprano.

3 Completa con el pronombre reflexivo si es necesario.

1. Enrique .... lava las manos al niño.
2. Laura .... acuesta a su hijo a las 21:00 h.
3. Nosotros .... afeitamos en el cuarto de baño.
4. Vosotros .... secáis el pelo.
5. Juan y Marta .... levantan a las 7:00 h de la mañana.
6. Yo .... peino y después .... peino a Óscar.

Expresar frecuencia

4 Completa las frases según tu experiencia.

1. Por las mañanas, normalmente ....
2. En vacaciones siempre ....
3. En la cafetería a veces ....
4. En la biblioteca mis amigos y yo nunca ....
5. Todos los días mis profesores ....
6. Siempre ....

La hora

5 ¿Qué hora es? Escribe en letras las horas que marcan estos relojes.

 1.

 2.

 3.

 4.

 5.

 6.

 7.

 8.

1. ....
2. ....
3. ....
4. ....
5. ....
6. ....
7. ....
8. ....

Diario

a bordo

Bruno escribe en el *blog*

1. Lee lo que escribe Bruno y marca si son verdaderas (v) o falsas (f) las afirmaciones.

fotos

BLOG DE BRUNO

Hola a todos. Me llamo Bruno, vivo en Brasil, en Salvador de Bahía, pero durante la semana vivo y trabajo en otra ciudad a 100 km de Bahía. Soy ingeniero y trabajo en una compañía internacional. Siempre tenemos mucho trabajo.

Todos los días, antes de leer los mensajes de correo, leo las noticias nacionales en Internet. Después siempre tengo una reunión con mi jefe y organizamos el trabajo del día.

Normalmente, a las 10:30 h tomo un café con mis compañeros de trabajo. Siempre como fuera de casa, excepto los fines de semana, que voy a mi ciudad y como en casa con mi mujer, Juliana. Los fines de semana son diferentes porque salimos con amigos a cenar, vamos al cine o a bailar y también hacemos un poco de deporte. Los domingos por la mañana, mi mujer y yo paseamos por el parque y después desayunamos. Me gusta mi vida.

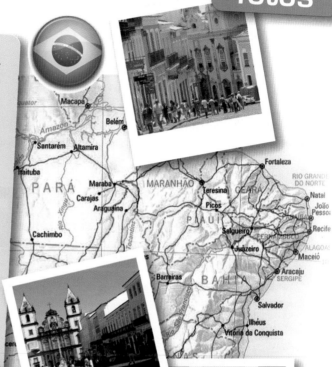

                          V   F

1. Trabaja cerca de su casa. ☐ ☐
2. Desayuna en la cafetería y después lee el periódico. ☐ ☐
3. Los sábados come en casa con su mujer. ☐ ☐
4. Él y su mujer van al cine los domingos. ☐ ☐
5. A Bruno le gusta chatear con sus amigos. ☐ ☐
6. Los domingos pasea por el parque, pero antes desayuna. ☐ ☐

Participa en la comunidad de
Embarque

4

mi día a día

a. **Piensa qué haces un día normal: actividades, horarios, etc.**
b. **Entra en** www.edelsa.es > zona estudiante > adultos **y cuelga allí tu información.**

Usuario ▢
Contraseña ▢

Refuerza
la gramática del módulo 4

La contracción del artículo

1. Elige la opción correcta.

1. La mesa está en el centro *a la / al / de la / del* salón.
2. La estantería está enfrente *a la / al / de la / del* ventana.
3. La habitación está *a la / al / de la / del* final *a la / al / de la / del* pasillo.
4. Las sillas están alrededor *a la / al / de la / del* mesa.
5. El sofá está *a la / al / de la / del* lado *a la / al / de la / del* mueble.
6. El ascensor está *a la / al / de la / del* derecha *a la / al / de la / del* escalera.
7. El frigorífico está enfrente *a la / al / de la / del* lavadora.
8. La lámpara está encima *a la / al / de la / del* mesa.

/ 11

Las preposiciones y locuciones preposicionales

2. Observa el plano y completa las frases con las expresiones adecuadas.

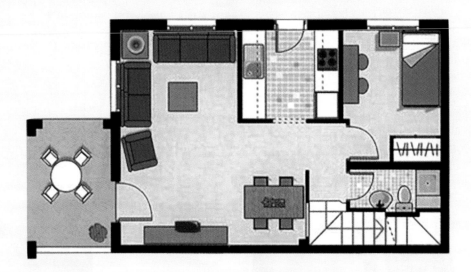

1. La mesa redonda está .... la terraza.
2. El sofá grande está .... del mueble.
3. La lámpara está .... de la mesa cuadrada.
4. Las sillas están .... de la mesa grande.
5. La cocina está .... el salón y la habitación.
6. La cama está .... del armario.
7. La mesilla está .... de la cama.
8. El baño está .... de la entrada.

/ 8

Los verbos reflexivos

3. Completa con el pronombre reflexivo.

1. ….. baño
2. ….. bañas
3. ….. baña
4. ….. bañamos
5. ….. bañáis
6. ….. bañan

4. Conjuga los siguientes verbos reflexivos.

Levantarse	Despertarse e>ie	Vestirse e>i	Acostarse o>ue
	me despierto		
se levanta			
			nos acostamos
		se visten	

5. Completa las frases con el verbo entre paréntesis.

1. María (lavarse) .... las manos.
2. Nosotros (acostarse) .... muy tarde.
3. Ellos (ducharse) .... por la mañana.
4. Usted (bañarse) .... en la piscina.

5. Los niños (vestirse) .... solos.
6. ¿Vosotros (despertarse) .... temprano?
7. Marcos no (afeitarse) .... Tiene barba.
8. Los domingos (despertarse, yo) .... tarde.

6. Lee las frases y elige la opción correcta.

1. Carmen *levanta / se levanta* temprano.
2. Los niños *lavan / se lavan* las manos antes de comer.
3. Ella *viste / se viste* a sus hijos.
4. Vosotros *ducháis / os ducháis* por la noche.

5. Usted *baña / se baña* a su hijo pequeño.
6. Nosotros *lavamos / nos lavamos* los platos.
7. Yo *peino / me peino*.
8. Tú *despiertas / te despiertas* tarde.

Los adverbios de frecuencia

/ 42

7. Ordena de + a – los siguientes adverbios de frecuencia.

siempre, a veces, normalmente, nunca, todos los días

1. ....
2. ....
3. ....

4. ....
5. ....

8. ¿Con qué frecuencia haces estas cosas? Escribe una frase usando los adverbios anteriores.

1. Desayunar: ....
2. Ducharse: ....
3. Ir a trabajar: ....
4. Chatear: ....
5. Enviar un correo: ....
6. Hablar por teléfono: ....
7. Cantar en la ducha: ....
8. Comprar: ....

/ 13

La hora

9. Escribe qué hora marcan estos relojes.

`12:15` `02:15` `23:45` `17:30`

1. ....
2. ....
3. ....
4. ....

`06:00` `00:15` `15:35` `12:59`

/ 8

5. ....
6. ....
7. ....
8. ....

Total / 82

Noticias

para los pasajeros   Número 4

Edificios emblemáticos

EL PALACIO REAL DE MADRID

El Palacio Real o Palacio de Oriente es el mayor palacio real de Europa Occidental con más de 3.000 habitaciones. Es la residencia oficial del rey de España, pero la familia real no vive aquí. Actualmente es un lugar destinado a actos y ceremonias oficiales.

El palacio tiene muchas salas importantes:

- El Salón del Trono es de color rojo y es donde se celebran cenas de gala.
- El Comedor de Gala se usa para celebrar bailes y banquetes. En el centro hay una mesa muy grande donde pueden comer doscientas personas.
- El Salón de Espejos se llama así porque tiene grandes espejos de color azul.
- La Real Biblioteca tiene dos plantas, conserva más de 300.000 obras: manuscritos, obras musicales, mapas, etc.
- La Saleta de Porcelana se llama así porque toda la decoración de las paredes es de porcelana.

En el palacio hay obras de artistas famosos: el Greco, Rubens, Caravaggio, Velázquez y Goya.

Adaptado de es.wikipedia.org

Cuestionario

Di si son verdaderas o falsas estas afirmaciones:

	V	F
1. El Palacio Real es el palacio más grande y famoso de Europa.	☐	☐
2. Este palacio es la residencia actual del rey de España.	☐	☐
3. El salón donde se celebran bailes se llama *Comedor de Gala*.	☐	☐
4. En este palacio se pueden ver cuadros de Goya.	☐	☐

www. patrimonionacional.es

LA CASA ROSADA DE BUENOS AIRES

La Casa Rosada es un monumento histórico. Aquí está el despacho del presidente de Argentina.

Este famoso edificio tiene diferentes salas y dependencias:

- El Hall de Honor es la entrada principal.
- En la Galería de los Bustos hay estatuas de los presidentes argentinos.
- La Escalera de Honor *Francia* se llama así porque es un regalo oficial de la República francesa a la argentina.
- La Escalera de honor *Italia* es un regalo de Italia y simboliza la fraternidad entre los dos países.
- El Salón Sur está entre las dos escaleras y aquí se realizan reuniones informales, prensa y comidas.
- El Salón Norte también se llama *de los acuerdos* porque en él está la mesa donde se firman acuerdos con otros países.
- En el Salón Blanco se realizan los actos de gobierno más importantes y las ceremonias de juramento de los ministros; las presentaciones de los embajadores, etc.

Según la tradición, el color rosa significa la unión de los partidos: el color blanco es representativo de los unitarios y el rojo es de los federales.

Para la película *Evita*, Madonna y Antonio Banderas piden personalmente al presidente Carlos S. Menem permiso para cantar la canción *Don't cry for me Argentina* desde el balcón de la Casa Rosada.

Adaptado de varias fuentes.

www. presidencia.gov.ar

Cuestionario

Di si son verdaderas o falsas estas afirmaciones:

	V	F
1. El presidente de Argentina trabaja en la Casa Rosada.	☐	☐
2. Las escaleras *Francia* e *Italia* son regalos de estos países a Argentina.	☐	☐
3. En el Salón Blanco se firman acuerdos con otros países.	☐	☐
4. El color rosado simboliza la unión de los partidos unitarios.	☐	☐

Módulo
5

Objetivo

Visitar una ciudad

Acciones

Hablas de tus vacaciones	Describes un viaje	Describes tu barrio	Pides información

Competencias

Competencias pragmáticas
- Hablar de la dirección y el medio de transporte.
- Hablar de horarios (II).
- Hablar del origen y del destino.
- Hablar del precio.
- Expresar distancia.
- Hablar de la existencia.
- Dar instrucciones.
- Preguntar una dirección.
- Llamar la atención.
- Pedir y confirmar una información.

Competencias lingüísticas
Gramática
- El presente de indicativo de los verbos *seguir, girar, ir, salir, llegar, abrir, cerrar, costar.*
- Las preposiciones: *a, de, en.*
- Los pronombres interrogativos (III): *¿cuándo?, ¿cuánto?*
- Las locuciones preposicionales de lugar: *(muy) lejos de, (muy) cerca de, todo recto.*
- El contraste entre *hay/está(n).*
- Los adverbios de lugar: *aquí, ahí, allí.*

Léxico
- Los medios de transporte.
- Los puntos cardinales.
- Los espacios urbanos.
- Los edificios culturales y los monumentos.

Fonética (ver cuaderno de ejercicios)

Competencia sociolingüística
- El origen de la plaza Mayor.
- Museos famosos.

Participa en la comunidad de **Embarque**
B L O G 5

1 METRO, AUTOBÚS

Relaciona estos medios de transporte con su foto.

> • el tren • el avión • el barco • el taxi • el metro • el autobús

1. ....

2. ....

3. ....

4. ....

5. ....

6. ....

2 VOY EN TREN

¿Dónde van estas personas y qué transporte utilizan?
Elige un elemento de cada columna y escribe una frase.

¿Quién?

a. Yo
b. Vosotras
c. Mi familia
d. Carlos
e. Tú
f. Nosotros
g. Los señores Pérez
h. Isabel

¿Dónde?

1. el gimnasio
2. la universidad
3. el restaurante
4. de compras
5. Japón
6. las islas Canarias
7. el cine
8. el parque

¿Cómo?

Gramática

Verbo *ir*
voy
vas
va
vamos
vais
van

1. *Yo voy al gimnasio en autobús.*
2. ....
3. ....
4. ....
5. ....
6. ....
7. ....
8. ....

18

¿DÓNDE VAS?

Elia habla con su amiga por teléfono.

a. Escucha y lee el diálogo.

- Hola, Elia, ¿qué tal?
- Hola. Muy bien, ya estoy de vacaciones.
- ¡Qué bien! ¿Dónde vas este año?
- Este año unos amigos y yo hacemos un crucero por el Mediterráneo. Vamos en un barco muy grande.
- ¡Qué divertido! ¿Hacéis escalas?
- Sí, claro. El barco sale de Barcelona y hace la primera escala en Valencia. Allí hay muchos lugares interesantes: la Ciudad de las Artes y las Ciencias, el Hemisfèric, la catedral, la playa de la Malvarrosa, etc.
- ¿Dónde termina el crucero?
- Después de visitar Valencia vamos a Málaga y desde allí vamos en autobús a Granada. En Granada estamos dos días y visitamos la ciudad. Oye, ¿qué haces tú en vacaciones?
- Pues yo este año no tengo vacaciones.
- ¡Vaya!

Hablar de la dirección y el medio de transporte

¿Dónde vas?
Voy a + lugar.
¿Cómo vas?
Voy en + medio transporte.
Excepción: *a pie, a caballo.*

b. Contesta las preguntas sobre las vacaciones de Elia.

1. ¿Con quién va de vacaciones?
2. ¿Qué medio de transporte utiliza para ir a Valencia? ¿Y para ir a Granada?
3. ¿Qué lugares visita en Valencia?
4. ¿Cuánto tiempo está en Granada?
5. ¿Dónde va su amiga de vacaciones?

c. ¿Dónde vas tú de vacaciones? ¿Cómo?

HABLAS DE TUS VACACIONES

a. Pregunta a tres compañeros por sus vacaciones: con quién van, dónde y qué medio de transporte utilizan.
b. Completa la tabla con la información.
c. Presenta la información a la clase.

¿Cómo vas a...?

Quién	Dónde	Cómo	Con quién

19

BILLETE DE IDA Y VUELTA

Lucía pide información en la estación de autobuses.

a. Escucha y lee el diálogo.

Gramática

Verbo *salir*

sal**go**
sales
sale
salimos
salís
salen

¡Atención!
Línea Málaga-Granada
sin servicio los
domingos por la tarde

Origen
Destino

Horario
de taquilla
de lunes a sábado
7:30h a 20:00h

Hablar de horarios

¿Cuándo sale?
Sale a las + hora.
¿Cuándo llega?
Llega a las + hora.

- Buenos días, por favor, ¿puede decirme qué día de la semana hay autobuses de Málaga a Granada?
- Todos los días dc luncs a domingo, excepto los domingos por la tarde.
- ¿A qué hora salen?
- Por la mañana hay autobuses a las 8:30 h y a las 10:15 h. Por la tarde, salen autobuses a las 15:00 h, a las 17:15 h, a las 19:00 h y a las 21:45 h. A las 23:30 h cierra la estación.
- ¿Y cuándo llega a Granada el autobús que sale a las 8:30 h?
- A ver… pues llega a las 10:45 h.
- ¡Ah! Muy bien y… ¿cuánto cuesta el billete?
- ¿Ida y vuelta o solo ida?
- Ida y vuelta, por favor. La vuelta el jueves 3.
- Pues el precio del billete es de 28,50 €.
- Entonces quiero comprar un billete para mañana martes, por favor.
- Muy bien… Aquí tiene su billete: autobús de Málaga a Granada con salida el martes 1 de septiembre a las 8:30 h y llegada a las 10:45 h. ¿Correcto?
- Sí, perfecto. Otra pregunta, por favor, el autobús sale de esta estación, ¿no?
- Sí, sale de aquí, de la estación central. Tiene que estar 20 minutos antes de la hora de salida. La estación abre a las 6:30 h.
- ¡Ah! Muy bien, muchas gracias.

b. Con la información del diálogo, completa el billete.

Hablar del origen y el destino

¿De dónde sale?
Sale de + lugar.
¿A dónde llega?
Llega a + lugar.

---

autoRES

GRUPO AVANZA

Localizador de reserva
1crynr
Número de billete
910/1/393/771264

Origen			
Destino			
Tipo de billete **IDA/VUELTA**	FECHA DE SALIDA		HORA
Servicio **Normal**	Trayecto **1**	Plaza **24**	Bus **4**	Precio

Hablar del precio

¿Cuánto cuesta?
Cuesta + precio.

c. Lee de nuevo el texto y marca si son verdaderas o falsas estas afirmaciones.

	V	F
1. Lucía quiere ir a Málaga.	☐	☐
2. Se puede viajar a Granada todos los días.	☐	☐
3. El primer autobús sale a las 10:15 h.	☐	☐
4. Los domingos por la tarde cierra la estación.	☐	☐
5. Lucía compra un billete de ida y vuelta.	☐	☐

5 SALIDAS Y LLEGADAS

Aquí tienes unos paneles informativos con horarios de salidas y llegadas. Lee la información y completa las frases.

SALIDAS de Málaga			LLEGADAS	
Hora	Destino	Andén	Hora	Andén
06:45	Granada	24	08:45	21

1. El autobús sale de Málaga a las .... de la mañana y llega a Granada a las .... de la mañana.

SALIDAS de La Coruña			LLEGADAS	
Hora	Destino	Puerta	Hora	Puerta
11:20	Barcelona	C7	13:05	C14

2. El avión .... de La Coruña a las .... y .... a Barcelona a las ....

SALIDAS de Sevilla			LLEGADAS	
Hora	Destino	Vía	Hora	Vía
08:20	Barcelona	2	20:50	3

3. El tren ....

Acción

DESCRIBES UN VIAJE

a. Piensa en dos viajes y completa la tabla.
b. Pregunta a tu compañero y completa con sus datos.
c. Explica a la clase uno de tus viajes y uno de tu compañero.

> ¿A dónde vas?
> ¿Cómo vas a...?
> ¿Cuándo sale...?
> ¿Cuánto cuesta...?

> Voy a Alicante en autobús. El autobús sale a las... de Bilbao y llega allí a las...

Viaje 1

	Destino	Transporte	Salida	Precio
Tú				
Tu compañero				

Viaje 2

	Destino	Transporte	Salida	Precio
Tú				
Tu compañero				

Práctica
de gramática

El presente de los verbos *llegar, abrir, ir, salir* y *cerrar*

1 Completa la tabla de estos verbos regulares.

Llegar	Abrir
....	abro
llegas	....
....	....
....	abrimos
....	....
llegan	....

2 Completa con la forma que falta.

Ir	Salir	Cerrar
	go	e>ie
voy	salgo	cierro
....	....	....
....	sale	cierra
vamos	....	....
....	salís	cerráis
van	salen	....

3 Completa las frases con el verbo en la forma correcta.

1. Los bancos (abrir) .... a las 8:00 h y (cerrar) .... a las 15:00 h.
2. Los autobuses (llegar) .... a la estación por la mañana.
3. Mis amigos y yo (ir) .... a la universidad en metro.
4. ¿Cuánto (costar) .... el billete?
5. ¿A qué hora (salir) .... el vuelo a Bilbao?
6. Tú (ir) .... en barco a las islas Canarias.
7. La taquilla (cerrar) .... los domingos por la noche.

Las preposiciones: *a, de* y *en*

4 Completa con las preposiciones *a, de* y *en*.

1. El tren sale .... la estación .... las 15:00 h .... la tarde.
2. Vamos .... Madrid .... autobús.
3. Raúl llega .... las 12:00 h .... la mañana.
4. La taquilla abre .... lunes .... sábado.
5. .... 1:30 h .... 6:00 h .... la mañana no hay metro.
6. Julián y Roberto llegan .... las 13:00 h .... coche.
7. La biblioteca abre .... las 16:00 h .... la tarde.

Los pronombres interrogativos: *¿cuándo?, ¿cuánto?*

5 Escribe la pregunta para estas respuestas.

1. El autobús sale a las 7:00 h de la mañana. ....
2. Mi hermana va al gimnasio los lunes y viernes. ....
3. El billete cuesta 37,50 €. ....
4. El viaje cuesta 600 €. ....
5. La taquilla abre muy temprano. ....
6. Llegamos al aeropuerto a las 13:00 h de la tarde. ....

Diario a bordo

Un billete de barco

1. Quieres visitar a un amigo que vive en Mahón (Menorca).
  a. Con los siguientes datos, confecciona tu billete.
  b. Envía un correo a tu amigo para informarle qué día vas a Mahón, cuándo vuelves, a qué hora sale y llega el barco y cuánto cuesta el billete.

BALEARIA.com

HORARIOS DE LA LÍNEA BARCELONA-MENORCA					
Trayecto	**Días**	**Salida**	**Llegada**	**Buque**	**Precio**
Barcelona-Mahón	M-J-D	22:30	07:30	Pau Casals	145 €
Mahón-Barcelona	L-X-V-S	09:45	18:45	Pau Casals	145 €

Propuestas para un viaje

2. Este verano vas a viajar con un amigo.
  a. Busca información en Internet para organizar tus vacaciones.
  b. Completa este correo electrónico y envíalo a tu amigo para proponerle 3 viajes.

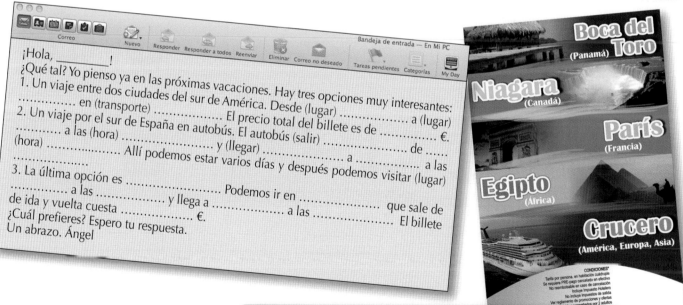

¡Hola, _____!
¿Qué tal? Yo pienso ya en las próximas vacaciones. Hay tres opciones muy interesantes:
1. Un viaje entre dos ciudades del sur de América. Desde (lugar) .... a (lugar)
.... en (transporte) .... El precio total del billete es de .... €.
2. Un viaje por el sur de España en autobús. El autobús (salir) .... de ....
.... a las (hora) .... y (llegar) .... a .... a las
(hora) .... Allí podemos estar varios días y después podemos visitar (lugar)
....
3. La última opción es .... Podemos ir en .... que sale de
.... a las .... y llega a .... a las .... El billete
de ida y vuelta cuesta .... €.
¿Cuál prefieres? Espero tu respuesta.
Un abrazo. Ángel

Boca del Toro (Panamá)
Niagara (Canadá)
París (Francia)
Egipto (África)
Crucero (América, Europa, Asia)

mi próximo viaje

Participa en la comunidad de **Embarque**

B L O G
5
suario [   ]
ontraseña [   ]

a. Piensa en un viaje que quieres hacer.
b. Busca información sobre el lugar, medio de transporte, horarios, precio, etc.
c. Entra en www.edelsa.es > zona estudiante > adultos y cuelga un *post* en el *blog* con los datos de tu viaje.

Visitas una ciudad

1 OFICINA DE TURISMO, HOTEL

El barco hace escala en otra ciudad. ¿Qué hay en esta ciudad?

a. Localiza y escribe en el plano el nombre de los lugares públicos que faltan

> • el hotel • la plaza • el banco • la biblioteca • el ayuntamiento • la catedral
> • la oficina de turismo • el colegio • la farmacia • el centro de salud • el museo
> • el quiosco • el estanco • la cafetería • el parque • la comisaría de policía
> • el centro comercial

Puntos cardinales

norte

oeste   este

sur

Al norte, sur, este, oeste (de)

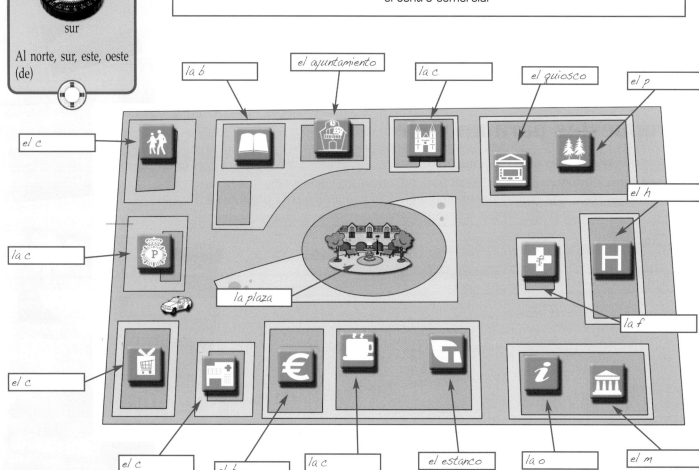

la b   el ayuntamiento   la c   el quiosco   el p

el c

la c

el c

la plaza

el h

H

la f

el c   el b   la c   el estanco   la o   el m

Expresar distancia

Cerca (de)

Lejos (de)

b. Lee ahora las siguientes frases y di si son verdaderas (V) o falsas (F) según el plano.

	V	F
1. La catedral está al norte de la ciudad.	☐	☐
2. El quiosco está cerca de la catedral.	☐	☐
3. Al sur de la ciudad hay un centro comercial.	☐	☐
4. El ayuntamiento está en el centro de la ciudad.	☐	☐
5. A la derecha del centro de salud hay una farmacia.	☐	☐
6. La biblioteca está lejos del colegio.	☐	☐
7. Al este de la ciudad hay un hotel.	☐	☐

2 CERCA/LEJOS

Las siguientes expresiones se usan para indicar lugar o distancia.
Coloca cada una en la columna correspondiente.

> • al este (de) • detrás (de) • encima (de) • a la izquierda (de) • cerca (de) • al norte (de)
> • al final (de) • a la derecha (de) • al oeste (de) • lejos (de) • delante (de) • al sur (de)

Distancia	Lugar
Estar +	*Estar +*

3 ¿CÓMO ES TU BARRIO?

Guadalupe describe en su *blog* cómo es su barrio en México D.F.

a. Lee lo que escribe y marca si son verdaderas o falsas las afirmaciones.

BLOG DE GUADALUPE

Hola a todos. Me llamo Guadalupe y quiero hablar de mi barrio. Vivo en la Colonia Condesa, un barrio residencial que está en la zona centro de la Ciudad de México, entre la avenida Michoacán, al sur, y la avenida Veracruz, al norte. Mi barrio está bien comunicado porque tiene varias estaciones de metro.

En la Colonia Condesa hay dos grandes parques: el parque España y el parque México. Cerca del parque México hay farmacias, cafeterías y restaurantes internacionales. El único hotel que hay en la Colonia Condesa está al final del parque España. La avenida de los Insurgentes es muy famosa y en ella está la Embajada de Bolivia y el banco Santander. En esta avenida también hay un centro de salud.

En la avenida de México están el famoso edificio Basurto, la iglesia de Santa Rosa de Lima y el conjunto Mazatlán. También hay un colegio, supermercados y un centro de salud, pero están bastante lejos.

Ahora ya conocéis este barrio de México D.F. Un barrio tranquilo que me gusta mucho.

Hablar de la existencia

Hay + un/una/unos/unas...
+ muchos/muchas/
bastantes...
+ sustantivo plural.

	V	F
1. La Colonia Condesa está en el centro de la Ciudad de México.	☐	☐
2. En la Colonia Condesa hay dos parques.	☐	☐
3. En el parque de México hay una farmacia.	☐	☐
4. Hay un hotel cerca del parque España.	☐	☐
5. La Embajada de Bolivia esta en la avda. de los Insurgentes.	☐	☐
6. En la avda. de México hay edificios famosos.	☐	☐

b. Escribe correctamente las frases que son falsas.

Acción

DESCRIBES TU BARRIO

a. Piensa cómo es tu barrio y qué hay allí.
b. Elige cuatro lugares públicos y explica a tu compañero dónde están.
c. Tu compañero dibuja el plano de tu barrio.

> En mi barrio hay una cafetería muy famosa. Está al lado de una farmacia.

SEGUIR TODO RECTO

a. Relaciona cada ilustración con la instrucción correspondiente.

Dar instrucciones

Girar a la izquierda.
Girar a la derecha.
Seguir (todo) recto.

a. girar a la derecha	b. girar a la izquierda	c. seguir (todo) recto

☐ ☐ ☐

b. Tu compañero quiere visitar la Lonja de la Seda. Indícale el camino siguiendo la ruta.

Preguntar una dirección

¿*Hay un/una...* + expresión de lugar?
¿Dónde + está + el/la...?
¿El/La... + por favor?
¿*El/La...* + *está* + lugar?

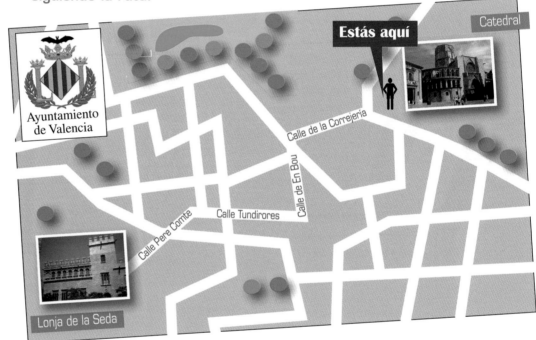

Sigues recto hasta la calle de la Correjería, ...
....
....

Gramática

Verbo *seguir*

sigo
sigues
sigue
seguimos
seguís
siguen

20

Verbo *girar*

giro
giras
gira
giramos
giráis
giran

POR FAVOR, ¿EL HOTEL SILKEN?

Unos turistas piden información sobre lugares públicos de Valencia.

a. Escucha los diálogos y selecciona la opción correcta.

1. El hotel Silken Puerta Valencia está .... de la plaza Zaragoza.
   a. muy lejos   **b.** muy cerca   **c.** lejos
2. Para ir al hospital La Fe giras ....
   a. la primera calle a la derecha
   b. la segunda calle a la derecha
   c. la primera calle a la izquierda
3. El restaurante argentino está .... de la avenida del Puerto.
   a. a la derecha   **b.** al lado   **c.** al final

Llamar la atención
Perdón, por favor.

Pedir y confirmar una información
Aquí hay un restaurante argentino, ¿no?
Sí, hay uno aquí cerca.

Gramática

Adverbios de lugar
aquí
ahí
allí

¿Sabes que...

en Hispanoamérica se dice acá y allá?

b. Clasifica en la tabla estas expresiones de los diálogos anteriores.

1. Sí, hay uno al final de la avenida del Puerto.
2. Por favor, ¿dónde está el hospital La Fe?
3. Perdón, en este barrio hay un restaurante argentino, ¿no?
4. Sigues todo recto y giras la primera calle a la derecha.
5. No, no está lejos, está muy cerca.
6. Perdón, el hotel Silken Puerta Valencia no está lejos de la plaza Zaragoza, ¿no?

Preguntar direcciones	Dar direcciones	Pedir confirmación	Confirmar información

EL HOTEL ESTÁ AQUÍ

Los adverbios de lugar *aquí*, *ahí* y *allí* indican distancia.
a. Observa dónde está el hotel y lee las frases.

El hotel está allí (muy lejos).

El hotel está ahí (lejos).

El hotel está aquí (cerca).

b. ¿Dónde están estos lugares públicos? Escribe frases con los adverbios de lugar adecuados.

3. ....

2. ....

1. *El banco está aquí.*

PIDES INFORMACIÓN

Acción

Estás en tu centro de estudio o trabajo.
a. Pide confirmación sobre dónde están estos lugares.
• La biblioteca • La secretaría/recepción • El despacho/departamento de...
• El baño • La sala de profesores/reuniones
b. Tu compañero confirma tu información.

Perdón, la biblioteca está en la primera planta, ¿no?

No, no está ahí. Está en la segunda. Muy cerca de la sala de profesores.

Práctica
de gramática

El presente de indicativo de estar (repaso)

1 Completa las frases con está/n.

1. ¿Dónde .... el centro de salud?
2. Al final de la calle .... la farmacia y la cafetería.
3. ¿El quiosco y el estanco .... muy lejos?
4. Los parques .... al norte de la ciudad.
5. El banco .... a la derecha del centro comercial.
6. Mi colegio .... cerca del parque.
7. Los hoteles .... lejos de la plaza.
8. El cibercafé .... a la izquierda del museo.

El contraste hay/está(n)

2 Completa las frases con hay o está.

1. - Por favor, ¿............... una farmacia cerca?
   - Sí, ... una al final de la calle.
2. - ¿Dónde .... la biblioteca?
   - .... al lado del hospital.
3. Por favor, ¿dónde .... el paseo del Mar?
4. .... mucha gente en el parque.

3 Relaciona.

¿Dónde | hay / está / están

los cibercafés?
una farmacia?
el centro comercial?
muchas cafeterías?
la biblioteca?
la iglesia y la catedral?
un centro de salud?

El presente de indicativo de seguir y girar

4 Completa la tabla con la forma del verbo que falta.

Seguir e>i	Girar
sigo	....
....	giras
sigue	....
....	....
....	giráis
....	....

5 Completa las frases con la forma correcta de los verbos seguir y girar.

1. Ellos (girar) .... a la derecha y vosotros (seguir) .... todo recto.
2. Aquí (girar, yo) .... a la izquierda.
3. En la primera calle, (girar, tú) .... a la derecha y después (seguir) .... todo recto.
4. El autobús (seguir) .... recto por la avenida Séneca.
5. (Seguir, nosotros) .... todo recto y (girar) .... la segunda calle a la derecha.

Los adverbios de lugar: aquí, ahí, allí

6 ¿Dónde están estos lugares públicos?

1. La catedral está lejos. *Está ahí.*
2. El ayuntamiento no está cerca. ....
3. El colegio está muy lejos. ....
4. El museo está cerca. ....
5. El hotel está lejos. ....
6. Correos está cerca. ....

Conversaciones a bordo

Estamos en Valencia

1. En tu tiempo libre quieres visitar algunos lugares de Valencia que tu compañero conoce. Pregúntale dónde están y cómo vas allí. Tú eres A y tu compañero, B.

A
- La catedral de Valencia (3)
- El Palacio del Marqués de las Aguas (2)
- Mercado Central (6)

B
- Torres de Serranos (4)
- La Lonja (5)
- El ayuntamiento (1)

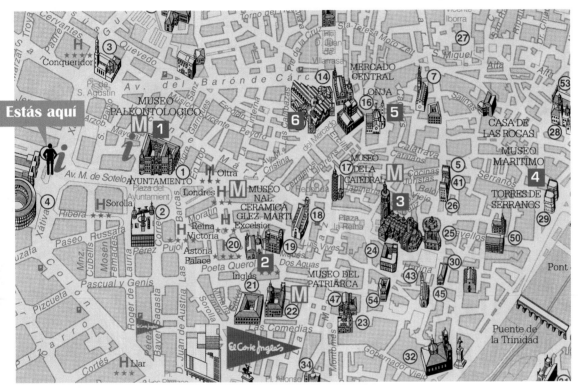

¿Qué hay en tu plaza?

2. Observa el plano.

a. Elige cuatro lugares públicos del ejercicio 1 (pág. 86) y sitúalos en él.

b. Explica a tu compañero dónde están esos lugares públicos y cómo llegar hasta allí.

Refuerza
la gramática del módulo 5

El presente de los verbos *ir, salir, llegar, abrir, cerrar*

1. Escribe las formas que faltan.

Ir -go	Salir	Llegar e>ie	Abrir	Cerrar
		llego		
vas				
	sale			
				cerráis
		abren		

2. Completa las frases con *ir, salir, llegar, abrir, cerrar*.

1. El autobús .... a la estación por la tarde.
2. (Yo) .... a la oficina a las 8:00 h.
3. Tú .... a la escuela en metro.
4. Y vosotros, ¿cómo .... a la universidad?

5. Los niños .... del colegio a las 17:00 h.
6. El restaurante .... a las 23:00 h.
7. ¿A qué hora .... el banco?
8. Siempre (yo) .... de casa a las 7:00 h.

```
          / 33
```

Las preposiciones *a, de* y *en*

3. Relaciona cada preposición con su uso.

1. Indica la dirección, el lugar o el destino.
2. Indica la hora a la que hacemos algo.
3. Indica el medio de transporte.
4. Indica el lugar de origen.
5. Indica situación.

a. a
b. de
c. en

4. Elige la opción correcta.

1. Vamos a la biblioteca *a / de / en* autobús.
2. ¿*A / De / En* qué hora abre la taquilla?
3. Los bancos abren *a / de / en* 8:00 h *a / de / en* 15:00 h.
4. Nos gusta mucho viajar *a / de / en* avión.
5. Siempre comemos *a / de / en* las 14:00 h.
6. Llegamos *a / de / en* casa *a / de / en* las 20:00 h.
7. El tren sale *a / de / en* Málaga *a / de / en* las 8:30 h y llega *a / de / en* Madrid *a / de / en* las 15:00 h.
8. Va a trabajar *a / de / en* metro. Entra *a / de / en* las 8:00 y sale *a / de / en* la oficina *a / de / en* las 18:00 h.

5. Ordena las palabras y escribe la frase correcta.

1. de / Abren / 9:00 / a / 13:00 ....
2. metro / van / Carlos / y / universidad / María / a / la / en ....
3. París / de / El / a / llega / las / 12:00 / avión ....
4. las / 20:30 / El / a / cierra / museo ....
5. ciudad / La / en / catedral / está / el / centro / de / la ....
6. en / el / Los / parque / juegan / niños ....
7. 15:00 / Mañana / salimos / a / las ....
8. muy / la / oficina / de / Salimos / tarde ....

```
          / 29
```

Contraste *hay / está(n)*

6. Elige la opción correcta.

1. ¿Dónde *hay / está* un restaurante cerca de aquí?
2. El aeropuerto *hay / está* lejos de la ciudad.
3. En esa calle *hay / está* muchas cafeterías.
4. En esta plaza siempre *hay / está* mucha gente.
5. Por favor, ¿dónde *hay / está* el hotel Real?
6. En esta ciudad *hay / está* un museo muy famoso.
7. Las Casas Colgadas *hay / están* en Cuenca.
8. ¿Dónde *hay / está* la biblioteca, por favor?

7. Completa el texto con *hay, está, están*.

En Madrid (1) .... muchos barrios interesantes, por ejemplo, el barrio de Lavapiés, que es bastante famoso. En este barrio (2) .... personas de muchas partes del mundo: africanos, árabes, asiáticos.

En Lavapiés también (3) .... muchos bares, cafeterías y restaurantes donde los turistas y los madrileños van a tapear o tomar algo. Algunos lugares típicos son la taberna de Antonio Sánchez que (4) .... en la calle Mesón de Paredes o la taberna de Madrid que (5) .... en la calle San Diego.

En Lavapiés (6) .... edificios muy antiguos que se llaman *corralas*. El Rastro y la Casa Encendida (7) .... en este barrio.

El presente de indicativo de los verbos *seguir* y *girar*

/ 15

8. Escribe la persona correcta.

1. sigo ....
2. seguimos ....
3. seguís ....
4. siguen ....
5. sigues ....
6. giramos ....
7. giras ....
8. giran ....
9. giráis ....
10. gira ....

9. Elige la opción adecuada.

1. *Sigues / Giras* todo recto y allí está la farmacia.
2. ¿*Seguimos / Giramos* a la derecha?
3. Usted *sigue / gira* la primera a la derecha. Allí está el hotel.
4. Para llegar a la plaza *siguen / giran* por esta calle hasta el final.
5. En el cruce, *seguimos / giramos* a la izquierda.
6. Ahora *sigues / giras* todo recto.
7. El taxi *sigue / gira* por la primera calle a la derecha.
8. Para llegar a mi casa *seguís / giráis* la calle principal.

Los adverbios de lugar

/ 18

10. Elige la opción correcta.

1. La estación de autobuses está muy cerca, está *aquí / ahí / allí*.
2. *Aquí / Ahí / Allí* está el hotel. Al lado de la playa.
3. El colegio de los niños está lejos. Está *aquí / ahí / allí*.
4. Cerca de casa hay un supermercado. El supermercado está *aquí / ahí / allí*.
5. El aeropuerto está *aquí / ahí / allí*. Muy lejos del centro.
6. Los niños están *aquí / ahí / allí* cerca.
7. Mi oficina está *aquí / ahí / allí*. Lejos del metro.
8. La biblioteca está cerca de la universidad. Está *aquí / ahí / allí*.

/ 8

Total / 103

La plaza Mayor: su origen

La plaza Mayor es la plaza principal de muchas ciudades tanto de España como de Hispanoamérica. A veces, especialmente en Hispanoamérica se llama también *plaza de Armas*.

En los siglos XIX y XX muchas de estas plazas cambian su nombre y se llaman *plaza Real* o *plaza de la Constitución*.

Una plaza mayor es un espacio abierto que permite el contacto y la comunicación entre los ciudadanos. Muchas veces allí está el mercado.

Cuando las ciudades crecen, las plazas mayores son el centro de la ciudad y entonces se construyen allí viviendas o edificios municipales y son un espacio donde se celebran las fiestas de la ciudad. Tienen también una función social porque allí se reúnen los vecinos para hablar, etc.

Entre 1561 y 1562, Francisco de Salamanca, arquitecto del rey Felipe II, diseña la primera plaza mayor cerrada en Valladolid, que sirve de modelo para otras plazas de España, Hispanoamérica e Italia.

En América, las plazas mayores se planifican con el resto de la ciudad, como la Plaza de Mayo de Buenos Aires o el Zócalo de México. Incluso se puede decir que una ciudad hispanoamericana es una plaza mayor rodeada por calles y casas.

La plaza mayor hispanoamericana es más grande que la española y normalmente tiene una iglesia, una residencia para las autoridades, un tribunal y una prisión.

Es el lugar más importante de todas las ciudades.

Adaptado de varias fuentes.

Plaza del Zócalo, México

Plaza de Mayo, Buenos Aires

Plaza Mayor, Salamanca

Cuestionario

1. ¿Qué es una plaza mayor?
2. ¿Qué otros nombres pueden tener estas plazas?
3. ¿Qué otras funciones tienen las plazas mayores en el pasado?
4. ¿Qué diferencias hay entre las plazas mayores de España e Hispanoamérica?

Museos famosos

Museo Nacional del Prado (Madrid)

El Museo Nacional del Prado es una de las pinacotecas más importantes del mundo que cuenta con cuadros de importantes pintores de los siglos XVI al XIX: Velázquez, Goya, Tiziano, Rubens, etc. El Prado tiene un total de 7.800 cuadros.

El Prado debe su origen a la afición coleccionista de los reyes a lo largo de varios siglos. Las escuelas pictóricas de España, Flandes e Italia son las protagonistas en este museo, que tiene una colección donde muchas de las obras son encargo directo de los reyes.

Junto con el Museo Thyssen-Bornemisza y el Museo Reina Sofía, el Museo Nacional del Prado forma el Triángulo del Arte.

www.museodelprado.es

Museo Nacional de Bellas Artes (Buenos Aires)

El Museo Nacional de Bellas Artes (MNBA) de Argentina está en la ciudad de Buenos Aires.

En este museo se pueden ver obras de Rembrandt, Rubens, Renoir, el Greco, Rodin, etc.

El museo cuenta con 34 salas: en la planta baja hay una biblioteca especializada en arte (150.000 libros). En el primer piso está la colección permanente de arte argentino del siglo XX y el Auditorio. En la segunda planta hay dos terrazas con esculturas al aire libre y una sala para exhibiciones de fotografía.

www.mnba.org.ar

Museo Dolores Olmedo Patiño (México)

Este museo de 1994 está al sur de la ciudad de México. Tiene 12 salas con obras de Diego Rivera y su mujer, Frida Kahlo, y de Angelina Beloff. Las exposiciones temporales presentan obras de importantes artistas nacionales, internacionales y contemporáneos. También se pueden ver las habitaciones privadas de Dolores Olmedo con su decoración original.

Los fines de semana el museo organiza diferentes actividades: conciertos, espectáculos infantiles, de danza, teatro y conferencias.

www.museodoloresolmedo.org.mx/nuestroMuseo

Cuestionario

1. Elige uno de los textos sobre un museo. Lee la información y explica lo que has leído a tu compañero.
2. Entra en las páginas web de los museos anteriores. Elige un cuadro de cada uno y escribe una breve ficha sobre él.

Museo: ....
Pintor: ....
Título: ....
Año: ....

Museo: ....
Pintor: ....
Título: ....
Año: ....

Museo: ....
Pintor: ....
Título: ....
Año: ....

Módulo

6

Objetiv

Hablar de la dieta y las comidas

Acciones

| Confeccionas tu desayuno | Explicas una receta | Eliges un menú | Invitas a alguien |

Competencias

Competencias pragmáticas
- Hablar de las partes del día.
- Expresar obligación.
- Pedir en un restaurante.
- Hablar de preferencias.
- Pedir algo por segunda vez.
- Ofrecer algo más.
- Pedir la cuenta.
- Ofrecer e invitar.
- Aceptar y rechazar una invitación.

Competencias lingüísticas
Gramática
- El presente de indicativo de los verbos *almorzar, merendar, servir.*
- Las preposiciones: *a, por.*
- *Hay que* + infinitivo.
- *Tener que* + infinitivo.
- *Querer* + nombre, infinitivo.
- *Preferir* + nombre, infinitivo.
- Las conjunciones: *o, pero.*

Léxico
- Las comidas del día.
- Los alimentos, las bebidas y los condimentos.
- Los platos.
- La temperatura.

Fonética (ver cuaderno de ejercicios)

Competencia sociolingüística
- Sabores latinos.
- La dieta mediterránea.
- Las tapas y las raciones.

Participa
en la comunidad de
Embarque

BLOG 6

1

CONTINENTAL, MEDITERRÁNEO

Aquí tienes los desayunos que se pueden tomar en el barco.

a. Relaciona cada desayuno con su foto.

b. Lee lo que ofrece cada uno y escribe el nombre de los alimentos o bebidas que faltan.

¿Sabes que...

en España, en general, se desayuna en una cafetería o un bar? Es habitual desayunar churros con chocolate o café con una tostada o un cruasán.

¿Sabes que...

en México y Argentina el *zumo* se llama *jugo*? En España el café sin leche se llama *café solo* y el café con poca leche se llama *café cortado*.

Carta de desayunos

1. Desayuno continental
Café con leche, té o chocolate
Mantequilla
Mermelada
Bollos (cruasán)
Zumo de naranja

2. Desayuno mediterráneo
Café con leche
Pan con aceite de oliva
Tomate

3. Desayuno combinado
Café o té
Zumo o fruta
Cereales
Queso
Mermelada, mantequilla
Tostadas o bollos

4. Desayuno anglosajón
Café o té
Zumo de naranja
Tostadas
Mantequilla y mermelada
Fiambre (jamón york)
Huevos con bacon

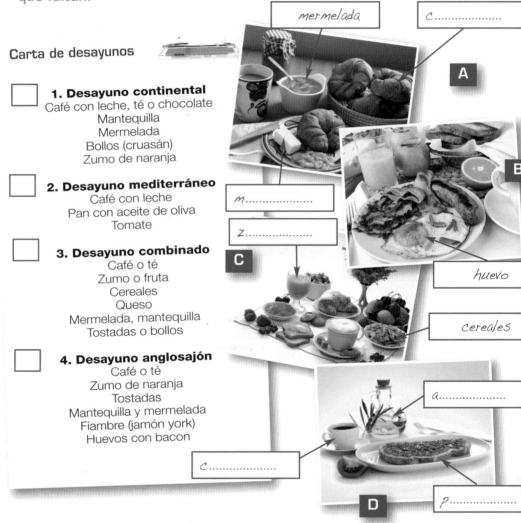

mermelada — c................... — A — m................... — z................... — C — huevo — cereales — a................... — c................... — p................... — D — B

21

2

¿QUÉ DESAYUNAS?

Algunos pasajeros del barco hablan sobre sus hábitos en el desayuno.

a. Escucha la conversación y completa la tabla.

	Desayuno	Bebidas	Alimentos
Raúl	anglosajón		
Lucía			cruasán
Elia		café solo	

b. ¿Qué tipo de desayuno haces tú?

3 LAS COMIDAS EN ESPAÑA

Estos son los hábitos alimenticios de los españoles.
Lee el texto y contesta las preguntas.

Gramática

Verbo *merendar*
meriendo
meriendas
merienda
merendamos
merendáis
meriendan

Verbo *almorzar*
almuerzo
almuerzas
almuerza
almorzamos
almorzáis
almuerzan

Verbo *servir*
sirvo
sirves
sirve
servimos
servís
sirven

Las comidas en España

Los españoles hacemos varias comidas al día. La primera comida que tomamos se llama *desayuno*, entre las 7:30 h y las 10:00 h, y es bastante ligera, por ejemplo, un café con leche y una tostada.

A media mañana, es frecuente tomar un segundo desayuno que consiste en un bocadillo o pincho de tortilla acompañado de un café con leche, un vaso de zumo o un refresco.

Generalmente, entre las 13:30 h y las 15:00 h, tomamos la comida o almuerzo. En la cultura mediterránea esta es la comida principal del día y consiste en dos platos: un primer plato más ligero, como una ensalada, verdura o una sopa, y un segundo plato a base de pescado o carne. Después, se toma un postre, generalmente yogur, flan o fruta.

La merienda es una comida ligera que hacemos a media tarde, por ejemplo, un bocadillo y una bebida, fría o caliente, como café, leche, zumo, etc. También podemos tomar fruta. En general, merendamos entre las 17:00 h y las 18:00 h.

La cena es, como norma general, la última comida del día, y la tomamos por la noche, entre las 21:00 h y las 22:30 h. Las cenas tienen un plato principal acompañado de una ensalada, sopa o verdura.

El pincho de tortilla — La fruta — La sopa — La carne — El pescado

1. ¿Cuántas comidas tienen los españoles?
2. ¿A qué hora es el desayuno?
3. ¿Qué toman los españoles en la comida principal?

4. ¿Qué meriendan?
5. ¿Cuál es la última comida del día?

4 COMPLETA LA NOTA

En los restaurantes del barco hay una nota sobre las comidas y sus horarios.
¿Puedes completarla?

Hablar de las partes del día

¿Cuándo...?
A mediodía / media mañana / tarde / noche.
Por la mañana / tarde / noche.

Nota:

Estimados clientes:
Les recordamos que en el restaurante Amanecer servimos el .... hasta las 10:00 h y en el cibercafé servimos el .... desde las 11:30 h.
A mediodía, en el restaurante Mediterráneo servimos la .... hasta las 15:30 h.
En el restaurante Atardecer pueden ustedes disfrutar de una .... al aire libre hasta las 18:00 h y por la noche, en el restaurante Pacífico, servimos la .... hasta las 23:30 h.
Muchas gracias.

 Acción

CONFECCIONAS TU DESAYUNO

a. Confecciona tu desayuno perfecto.
b. Pregunta a tres compañeros cuál es su desayuno.

¿Qué desayunas normalmente?
¿Qué te gusta desayunar?

5 ALIMENTOS, BEBIDAS Y CONDIMENTOS

En esta lista de la compra hay alimentos, bebidas y condimentos.

a. Relaciona cada palabra con su foto.

Supermercado

- [ ] agua mineral
- [ ] refrescos
- [ ] pollo
- [ ] salmón
- [ ] naranjas
- [ ] melón
- [ ] tomates
- [ ] pasta
- [ ] pimientos
- [ ] legumbres
- [ ] aceite de oliva
- [ ] huevos
- [ ] pan
- [ ] vinagre
- [ ] azúcar
- [ ] sal
- [ ] pimienta
- [ ] pepinos
- [ ] patatas
- [ ] cebolla
- [ ] ajos
- [ ] chuletas

b. Ahora clasifica los productos en la tabla.

La verdura	La fruta	El pescado	La carne	La bebida	El condimento	Otros

6 INGREDIENTES

Aquí tienes una receta para hacer un buen gazpacho.
Lee el texto y marca si son verdaderas (V) o falsas (F) las afirmaciones.

Receta de gazpacho

Ingredientes para 4 personas:
6 tomates
2 pimientos verdes o rojos
1 pepino
1 cebolla grande, 1 diente de ajo (opcional)
Pan, sal, aceite de oliva, vinagre

Tiempo: 20 minutos

Batir — Cortar — Pelar — Mezclar

Preparación
Para hacer un buen gazpacho, primero hay que poner el pan en agua con un poco de sal y aceite de oliva. Después hay que pelar y cortar los tomates, los pimientos, el pepino, la cebolla y el ajo y mezclar todos los ingredientes. Luego hay que añadir el pan, el vinagre y batir hasta tener una crema líquida. Finalmente hay que dejarlo en la nevera y servir frío.

¿Sabes que...
¿el gazpacho es una sopa fría que se toma en verano?

22

	V	F
1. El tomate y el pimiento son ingredientes básicos del gazpacho.	☐	☐
2. Hay que poner el pan en agua y después añadir los tomates.	☐	☐
3. Hay que batir la mezcla dos veces.	☐	☐
4. El gazpacho se sirve caliente.	☐	☐

7 PREPARAS UN GUACAMOLE

Mañana tienes invitados y quieres preparar guacamole.
a. Escucha y marca los ingredientes que se mencionan.

Receta de guacamole

Ingredientes para 4 personas:

☐ 2 aguacates grandes ☐ 2 tomates ☐ 1 pepino ☐ 1 cebolla
☐ Sal ☐ Aceite ☐ Pimienta ☐ Limón

Temperatura

Frío/a — -
Templado/a
Caliente — +

b. Relaciona las columnas, escucha y comprueba.

1. Cortar — a. los aguacates, los tomates y la cebolla.
2. Mezclar — b. los ingredientes hasta tener una pasta.
3. Pelar — c. unas gotas de limón, la sal y la pimienta.
4. Poner — d. los aguacates, los tomates y la cebolla en trozos pequeños.

Expresar obligación

Impersonal
Hay que + infinitivo.
Personal
Tener que + infinitivo.

c. Escribe ahora la receta utilizando *hay que* + infinitivo.

d. Explica a tu compañero cómo se prepara un guacamole. Utiliza *tener que* + infinitivo.

Cuaderno de recetas
Primero hay que...

Para preparar un buen guacamole tienes que...

Acción EXPLICAS UNA RECETA

a. Elige un plato típico de tu país.
b. Explica a la clase cómo se prepara. Utiliza *hay que/tener que* + infinitivo; *primero, luego,* etc.

El plato típico de mi país se llama...
Para prepararlo primero tenéis que...

Práctica
de gramática

El presente de indicativo de los verbos irregulares

1 Completa la tabla con los verbos del recuadro.

Merendar e>ie	Almorzar o>ue	Servir e>i
meriendo	....	sirvo
....	....	....
....	almuerza	....
merendamos	....	servimos
....	almorzáis	....
meriendan	....	....

> sirven, almuerzo, meriendas, almuerzan,
> sirves, almorzamos, merienda,
> almuerzas, merendáis, sirve, servís

2 Escribe el verbo en la forma correcta.

1. El restaurante no (servir) .... desayunos.
2. Ellos (servir) .... la comida hasta las 16:00 h.
3. Vosotros (almorzar) .... a las 14:00 h.
4. Nosotros (merendar) .... a las 18:00 h.
5. Los niños (merendar) .... un bocadillo.
6. Tú (almorzar) .... en casa.

Las preposiciones: *a* y *por*

3 Completa las frases con *a* o *por*.

1. .... la mañana me gusta tomar algo ligero.
2. Yo, ... media mañana, tomo un pincho de tortilla.
3. Tomamos el almuerzo .... mediodía.
4. Nunca toma nada .... media tarde.
5. Los niños meriendan mucho .... la tarde.
6. .... la noche no me gusta comer mucho.

4 Responde utilizando *a* o *por* + parte del día.

1. ¿Cuándo es la primera comida del día?   ....
2. ¿Cuándo es la última comida del día?   ....
3. ¿Cuándo es la comida principal?   ....
4. ¿Cuándo tomas el segundo desayuno?   ....
5. ¿Cuándo meriendas?   ....
6. ¿Cuándo almuerzas?   ....

Perífrasis: *hay que* + infinitivo/*tener que* + infinitivo

5 Elige el verbo y completa con la perífrasis adecuada.

> hacer, lavar, poner, comer (2), merendar, cenar

1. Para tener una vida sana .... equilibradamente y hacer deporte.
2. Los niños .... todas las tardes.
3. .... fruta y cereales.
4. Para hacer un buen gazpacho .... el pan en agua con un poco de sal y aceite.
5. Siempre .... la lechuga con agua.
6. Usted .... a las 22:00 h de la noche.
7. Nosotros no .... la comida los domingos.

Conversaciones a bordo

El día de la dieta sana

1. En el barco se celebra un concurso sobre la dieta sana.
  a. Con tu compañero elige una de estas opciones.
    ☐ Desayuno   ☐ Almuerzo   ☐ Cena
  b. Observad las fotos y marcad los alimentos adecuados según vuestra elección.
  c. Con esos alimentos confeccionad vuestra propuesta y explicadla a la clase.

La paella

El pescado

La sopa

El zumo

El yogur

El té

La pizza

El queso

Las tostadas

El huevo con patatas

La hamburguesa

La mermelada

El café

La fruta

La verdura

La ensalada

La carne

  d. Votad en clase y elegid la pareja con la comida del día más saludable.

	Desayuno	Almuerzo	Cena
Votos (1 a 5)			

¿Comes sano?

2. Pregunta a tu compañero cinco cosas que hay que hacer para comer sano. Toma notas.
  1. ....
  2. ....
  3. ....
  4. ....
  5. ....

① COMER FUERA DE CASA

En muchas ocasiones es frecuente comer fuera de casa.
Lee el texto y marca si son verdaderas (V) o falsas (F) las siguientes afirmaciones.

Normalmente, en España, cuando queremos tomar algo fuera de casa, tenemos varias opciones, por ejemplo:
• Picar algo, o picotear. No es exactamente comer, sino ir a una cervecería o bar y tomar una bebida con algo para comer.
Cuando picoteamos, podemos tomar una tapa, que es una pequeña porción de comida que acompaña a la bebida, por ejemplo, unas aceitunas. También podemos pedir una ración, que es un plato de comida para compartir, por ejemplo, una ración de jamón o de queso. Otra opción es pedir un pincho de tortilla para acompañar a la bebida.
• *Comer a la carta* significa que puedes elegir entre todas las opciones que propone el restaurante en su carta. Al final pagas el precio de cada cosa que tomas.

• El menú del día es una opción cerrada en la que puedes elegir entre varios platos de primero, varios platos de segundo, varios postres, una bebida y pan. El primer plato (*entrada* en Argentina y México) normalmente es un plato compuesto de pasta, ensalada, legumbres o sopa. El segundo plato (*plato fuerte* en Argentina y México) es el plato principal y normalmente se compone de carne o pescado. El menú tiene un precio único.

	V	F
1. Las tapas son platos de comida para compartir.	☐	☐
2. *Comer a la carta* significa pagar cada cosa que tomas.	☐	☐
3. El menú consiste en un plato principal y un postre.	☐	☐
4. El primer plato incluye carne.	☐	☐

② DIFERENTES PLATOS

Aquí tienes los platos que ofrece un restaurante del barco.
a. Relaciona cada plato con su foto.

1. sopa de pescado 2. guisantes con jamón 3. merluza a la romana 4. filete con patatas 5. calamares 6. espárragos con mayonesa 7. paella 8. arroz con leche 9. fresas con nata 10. ensalada mixta 11. salmón 12. pollo asado 13. chuletas de cordero 14. flan 15. gazpacho

b. Clasifica en la tabla los platos anteriores.

Platos de verdura	Platos de carne	Platos de pescado	Postres

23

¿QUÉ VAN A TOMAR?

3

Estos pasajeros comen hoy en el restaurante Mediterráneo.
Escucha el diálogo y completa el menú.

Restaurante Mediterráneo

Primeros
....
....
Segundos
....
....

Postre
....
....
Bebida
....
....

Gramática

Verbo *querer*
quiero
quieres
quiere
queremos
queréis
quieren

Verbo *preferir*
prefiero
prefieres
prefiere
preferimos
preferís
prefieren

LA CUENTA, POR FAVOR

4

Estas expresiones son muy útiles para comer en un restaurante.
Relaciona las columnas.

1. ¿Quieren tomar algo más?
2. ¿Carne o pescado?
3. ¿Qué van a beber?
4. Prefiero carne.
5. De primero/segundo/postre...
6. La cuenta, por favor.
7. Por favor, otro/un poco más de...

a. Pedir los platos.
b. Pedir algo por 2.ª vez.
c. Preguntar preferencias.
d. Ofrecer algo más.
e. Pedir la cuenta.
f. Expresar preferencias.
g. Preguntar qué quieren.

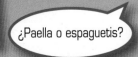
Acción

ELIGES UN MENÚ

a. Con los platos del ejercicio 2 preparas un menú de verano.

b. Pregunta a tu compañero qué prefiere de primer plato, de segundo y de postre.

c. Presenta las preferencias de tu compañero a la clase.

Hablar de preferencias
¿Té o café?
Prefiero café.
Prefiero tomar café.

Menú de verano

Primeros
....
....
Segundos
....
....

Postre
....
....
Bebida
....
....

¿Paella o espaguetis?

Prefiero paella.

24

TE INVITO A MI FIESTA

5

Montserrat invita a un amigo a su fiesta.
Escucha lo que dicen y marca si son verdaderas (V) o falsas (F) las siguientes afirmaciones.

	V	F
1. Montserrat llama a su amigo para invitarle a su cumpleaños.	☐	☐
2. El cumpleaños de Montserrat es el sábado.	☐	☐
3. El sábado José María tiene otro cumpleaños.	☐	☐
4. La cena es a las 22:00 h.	☐	☐
5. José María acepta la invitación.	☐	☐

SÍ, PERO MÁS TARDE

6

Las siguientes expresiones sirven para invitar y para aceptar o rechazar una invitación.

a. Clasifícalas en la tabla.

1 Quiero invitarte a tomar/comer...

2 ¿Quiere(s) tomar un café/ venir...?

3 Te invito a tomar/comer...

4 ¿Quiere(s) venir a comer/ a mi casa...?

5 ¿Un café?

6 (No) lo siento mucho, pero...

7 Sí, gracias.

8 Bueno, vale, pero...

9 No, gracias, es que...

10 Sí, pero más tarde.

11 No, (muchas) gracias.

12 Gracias + valoración + pero...

Invitar	Aceptar (con reservas)	Rechazar

b. Ahora invita a tu compañero. Él acepta o rechaza tu invitación.

7 **¿QUIERES VENIR?**

Recibes una invitación de una amiga.
a. Léela y contesta las preguntas.

Restaurante TIC TAC

Hola, ...
Soy Belén y te escribo para decirte que
por fin ya tengo mi propio restaurante.
Se llama Tic Tac y es un restaurante de
cocina mediterránea creativa. Estoy muy
contenta y por eso quiero hacer una
fiesta con todos los amigos para cele-
brarlo. ¿Quieres venir? El restaurante
tiene una terraza y mi idea es hacer una
barbacoa el sábado por la noche, a las
21:30 h. Estás invitado, claro.
Te espero. Un beso.

1. ¿Quién te invita?   ....
2. ¿Qué se celebra?   ....
3. ¿Dónde es la cena?   ....
4. ¿A qué hora es?   ....

b. Contesta a Belén aceptando o rechazando la invitación.

Acción

INVITAS A ALGUIEN

Invita a tu compañero de clase. Tú eres A y tu compañero, B.

Estudiante A	Estudiante B
Ir al cine	Acepta la invitación
Ir a tu casa a una fiesta	Rechaza la invitación

Estudiante A	Estudiante B
Rechaza la invitación	Comer en un restaurante
Acepta la invitación	Ver un partido de fútbol

Práctica
de gramática

El presente de indicativo de los verbos *querer* y *preferir*

1 Completa la tabla con las formas que faltan.

Querer	Preferir
e>ie	e>ie
quiero	....
....	prefieres
quiere	prefiere
....	....
queréis	....
....	prefieren

2 Completa los minidiálogos con la forma correcta

1. - ¿Qué (querer, ustedes) .... tomar?
   - Él (preferir) .... sopa y yo (querer) .... lentejas.
2. - ¿Qué van a tomar?
   - (Querer, nosotros) .... el menú del día, por favor.
3. - ¿Qué (querer, ustedes) .... de primero?
   - Los niños (querer) .... paella y nosotros (querer) .... sopa.
4. - De segundo, ¿qué (preferir, vosotros) ....? ¿Carne o pescado?
   - (Preferir) .... carne.
5. - Niños, ¿qué (querer) .... beber?
   - (Querer, yo) .... agua.
6. - ¿De postre? ¿Fruta o flan?
   - Yo (querer) .... fruta y mis padres (preferir) .... tomar flan.

Hablar de preferencias

3 Escribe la pregunta y responde según tus preferencias.

1. ¿Té o café?   *Prefiero café*
2. Carne/pescado   ....
3. Agua/refresco   ....
4. Ciudad/campo   ....
5. Fútbol/baloncesto   ....
6. Cine/teatro   ....

Aceptar o rechazar una invitación

4 Escribe una frase aceptando o rechazando estas propuestas.

1. ¿Un café? ....
2. ¿Quieres un bocadillo de jamón? ....
3. ¿Quieres ir al teatro? ....
4. Te invito a un concierto de música. ....
5. ¿Quieres cenar conmigo? ....
6. ¿Un pincho de tortilla? ....

Pedir en un restaurante

5 Ordena el diálogo.

☐ Cliente: El menú del día, por favor.
☐ Cliente: Pues ensalada mixta.
☐ Camarero: ¿Y de postre? Tenemos fruta, flan o helado.
☐ Cliente: El pescado con verduras, por favor.
☐ Cliente: Muchas gracias.
☐ Camarero: Muy bien, aquí tiene el café con leche y la cuenta.
☐ Camarero: De segundo tenemos carne con patatas o pescado con verduras.
☐ Camarero: ¿Qué quiere beber?
☐ Cliente: Pues… fruta.
☐ Camarero: Muy bien. De primero tenemos ensalada mixta, sopa o paella.
☐ Cliente: Camarero, por favor, un café con leche y la cuenta.
☐ Camarero: Buenos días, ¿qué va a tomar?
☐ Cliente: Agua con gas, por favor.

D iario

a bordo

Te invito

1. Celebras una fiesta con motivo de...

a. Elige una opción.

Invitación

- ☐ cumpleaños
- ☐ boda
- ☐ nueva casa
- ☐ presentación en sociedad (fiesta de los 15 años)

b. Escribe la invitación que vas a enviar a tus amigos. Recuerda hablar sobre:
- motivo de la celebración
- día, hora y lugar
- pedir confirmación

c. Pregunta a tres compañeros si van a ir a tu fiesta. Ellos aceptan o rechazan tu invitación.

Celebración de Navidad

2. Raúl escribe en su *blog* sobre una celebración donde las comidas son muy importantes.
a. Lee lo que explica y marca los alimentos que nombra.

fotos

BLOG DE RAÚL

¡Hola, amigos!

Hoy, voy a escribir sobre la Navidad en España y cómo la celebra mi familia. La Navidad es una ocasión en la que la familia se reúne alrededor de la mesa: la comida, la bebida, la música, el baile y los regalos (especialmente el día de Reyes, el 6 de enero) son los protagonistas de la fiesta.

La Nochebuena y la Navidad (24 y 25 de diciembre) son los días más importantes porque nos reunimos toda la familia para cenar (el día de Nochebuena) y para comer (el día de Navidad). También es normal tomar dulces típicos navideños (turrón, mazapán, polvorones) y cantar villancicos. Los platos típicos de estas fiestas son el marisco, el pescado (besugo, dorada, lubina, merluza), el cochinillo, el cordero, el pavo, etc. De beber tomamos vino, sidra y cava (vino espumoso español parecido al champán francés). Durante estas fechas, la familia que vive más lejos también viene a nuestra casa para estar todos juntos.

Pero también conozco otras tradiciones, por ejemplo, en Argentina cada persona que va a comer a una casa lleva un plato preparado por él. En países como Chile, Ecuador, Honduras, México, Perú y República Dominicana el pavo es la cena tradicional de Nochebuena. En Perú y Uruguay estas fiestas se celebran en casa de los abuelos.

RESPONDER >>

Los Reyes Magos

El mazapán

El turrón

b. ¿Cómo es en tu país? Escribe dos cosas que son iguales y dos cosas que son diferentes.

Participa en la comunidad de
Embarque

6

suario ☐

ontraseña ☐

una fiesta diferente

Después de leer lo que explica Raúl sobre la Navidad, entra en www.edelsa.es > zona estudiante > adultos y cuelga un *post* explicando alguna celebración especial en tu país: cómo se llama, cuándo es, qué se hace, qué se come, etc.

Refuerza
la gramática del módulo 6

El presente de indicativo de los verbos irregulares

1. Escribe la forma correcta del verbo.

Almorzar

1. 1.ª persona singular ....
2. 2.ª persona plural ....
3. 3.ª persona plural ....
4. 1.ª persona plural ....
5. 2.ª persona singular ....
6. 3.ª persona singular ....

Merendar

1. 1.ª persona plural ....
2. 2.ª persona singular ....
3. 3.ª persona plural ....
4. 1.ª persona singular ....
5. 2.ª persona plural ....
6. 3.ª persona singular ....

Servir

1. 1.ª persona plural ....
2. 2.ª persona singular ....
3. 3.ª persona plural ....
4. 1.ª persona singular ....
5. 2.ª persona plural ....
6. 3.ª persona singular ....

2. Elige la opción correcta.

1. Los españoles *almuerzan / cenan* a las 14:00 h.
2. Por la tarde los niños *desayunan / meriendan* un bocadillo.
3. ¿Qué *comes / desayunas* por las mañanas?
4. ¿A qué hora *sirven / comen* la cena en este restaurante?
5. El camarero *desayuna / sirve* el desayuno a las 8:00 h.
6. Los domingos a mediodía nosotras *desayunamos / almorzamos* tarde.
7. A mediodía, *desayuno / almuerzo* en casa.
8. Por la tarde, ¿qué *almuerzas / meriendas* normalmente?

/ 26

Las preposiciones *a* y *por*

3. Completa las expresiones con la preposición adecuada.

1. .... la mañana.
2. .... media tarde.
3. .... la noche.
4. .... media mañana.
5. .... la tarde.
6. .... mediodía.

4. Completa las frases con una de las expresiones anteriores.

1. .... cenamos en casa.
2. Nunca desayuno ....
3. .... comen en un restaurante.
4. Tomo un pincho de tortilla ....
5. .... no meriendo.
6. Los domingos .... toma café con leche y churros.
7. ¿Comes en casa ....?
8. .... ceno algo ligero.

/ 14

Expresar obligación

5. Transforma las siguientes obligaciones personales en impersonales.

1. Ana tiene que pelar las patatas.

   ....

2. Tienen que servir la bebida fría.

   ....

3. Tenemos que cortar la lechuga en trozos pequeños.

   ....

4. El cocinero tiene que añadir un poco de sal.

   ....

5. No tenéis que poner aceite.

   ....

6. Las camareras tienen que servir en un plato grande.

   ....

7. Carlos y yo tenemos que poner un poco de pimienta.

   ....

8. Tenéis que mezclar todos los ingredientes.

   ....

6. Escribe ahora la obligación personal.

1. Hay que comer sano.
   Yo ....……....

2. Hay que hacer ejercicio.
   Ellas ....……....

3. Hay que beber más agua.
   Nosotros ....…..

4. No hay que dormir mucho.
   Roberto ....……

5. Hay que tomar más fruta y verdura.
   Los niños ....……

6. Hay que vivir en el campo.
   Las familias ....…..

7. Hay que relajarse más.
   Vosotras ....…..

8. Hay que sonreír más.
   Las personas ....…...

   | /16 |

El presente de indicativo de los verbos *querer* y *preferir*

7. Escribe qué persona es.

1. queremos ....
2. quieren ....
3. queréis ....
4. quiero ....
5. quieres ....
6. quiere ....

7. preferimos ....
8. prefieren ....
9. prefieres ....
10. prefiero ....
11. preferís ....
12. prefiere ....

8. Elige la opción más adecuada.

1. Hoy *preferimos / queremos* tomar el menú del día.
2. ¿Qué *prefiere / quiere* beber?
3. ¿*Prefieres / Quieres* té o café?
4. Para beber, ¿*preferís / queréis* agua o un refresco?
5. Camarero, por favor, *prefiero / quiero* un café solo.
6. ¿Qué *prefieres / quieres*, la comida italiana o la china?

9. Completa las frases con *querer* o *preferir*.

1. ¿Qué (usted) .... tomar?
2. No me gusta el té, ... el café.
3. Chicos, ¿qué ...., paella o sopa?
4. Mamá, (yo) .... un vaso de agua, por favor.
5. ¿Dónde (tú) .... comer, en casa o en un restaurante?
6. Hoy (nosotros) .... comer en casa.
7. ¿Qué (vosotros) .... beber?
8. Yo .... un zumo y ellos .... un refresco.

   | /26 |

   Total | /82 |

Sabores latinos

La paella

El ingrediente principal de este famoso plato español es el arroz. Podemos encontrar paella de carne, de pescado o de verduras. El color amarillo es porque lleva azafrán.

El taco

El taco mexicano es una tortilla doblada o enrollada rellena de carne o verdura. Se come con las manos y suele ir acompañado por salsas picantes roja o verde, que se ofrecen aparte. La masa de la tortilla es de maíz o de trigo.

El asado

Este plato lleva carne de vaca al fuego. En muchas regiones argentinas se come «al pan», es decir, solo se utiliza el pan para tomar la carne sin quemarse. Este plato se acompaña de ensalada.

El cebiche

Es un plato muy típico de Perú. Lleva pescado fresco, en pequeñas porciones, con limón, cebolla, sal y pimiento. Este plato es patrimonio cultural en este país.

Cuestionario

Después de leer los textos sobre los sabores latinos, contesta a las preguntas.
1. ¿Qué plato prefieres probar? ¿Por qué?
2. ¿Cuál es el plato típico de tu país? Descríbelo.

España y su dieta

LA DIETA MEDITERRÁNEA

La dieta mediterránea se llama así porque es el modo de alimentarse que tienen algunos países mediterráneos como: España, sur de Francia, Italia, Grecia y Malta.

Las características principales de este tipo de dieta son un alto consumo de productos vegetales (frutas, verduras, legumbres, frutos secos, pan y otros cereales). El aceite de oliva es la grasa principal y se consume más pescado y aves que carnes rojas. En la dieta mediterránea se consume vino en cantidades moderadas. Este tipo de alimentación va acompañada con actividad física y ocio al aire libre. En junio de 2007 el Gobierno español propone la candidatura de la dieta mediterránea para su inclusión en la lista del Patrimonio Cultural Inmaterial de la Humanidad de la Unesco. En 2010 se acepta esta propuesta.

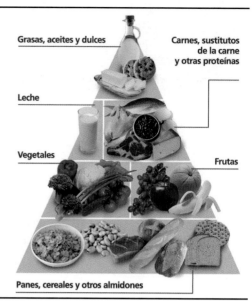

Grasas, aceites y dulces — Carnes, sustitutos de la carne y otras proteínas — Leche — Vegetales — Frutas — Panes, cereales y otros almidones

LAS TAPAS

Las tapas son una seña de identidad española. Una tapa es un aperitivo que acompaña a la bebida que se sirve en un bar y que normalmente es gratuito. En muchas zonas de España es habitual salir a cenar o a comer los fines de semana a base de tapas.

La forma habitual de ir de tapas o *tapear* es ir de un bar a otro y tomar una bebida en cada uno con su correspondiente tapa. En determinadas regiones, es el cliente el que elige la tapa que desea tomar.

En el norte de España, principalmente en Cantabria, La Rioja, País Vasco y Navarra, es normal salir a tomar pinchos (en euskera se llaman *pintxos*). Los pinchos no son gratuitos, hay que pagarlos.

LAS RACIONES

Una ración es una cantidad de comida que se toma en bares y restaurantes y que también acompaña a una bebida. Normalmente es una comida para compartir.

Patatas bravas — Pulpo — Calamares — Empanadillas — Croquetas — Jamón

Cuestionario

Lee la información y contesta las preguntas.

1. ¿Cómo es la dieta en tu país? ¿Qué alimentos son básicos?
2. Nombra tres alimentos básicos de la dieta mediterránea.
3. ¿Existen las tapas en tu país? En caso afirmativo, ¿cuándo las tomas?
4. ¿Conoces el nombre de algunas raciones?

Módulo
7

Objetiv

Hablar de la cultura y los espectáculos

Acciones

| Planificas un fin de semana | Quedas con un amigo | Hablas sobre el ocio | Expones tus razones |

Competencias

Competencias pragmáticas
- Hablar de planes e intenciones.
- Proponer y sugerir actividades.
- Expresar finalidad.
- Describir y valorar.
- Comparar.
- Expresar causa.

Competencias lingüísticas
Gramática
- Las expresiones de tiempo: *mañana, ahora, hoy, el* + día de la semana, *en* + mes.
- El presente de indicativo de los verbos *poder, venir* y *quedar.*
- *Ir a* + infinitivo.
- *Para* + infinitivo.
- *Ser/parecer* + (*muy/bastante/un poco*) + adjetivo.
- *Estar* + *bien/mal.*
- Las estructuras comparativas: *más... que/menos... que.*
- *Porque* + verbo.

Léxico
- Las actividades de ocio y los espectáculos.

Fonética (ver cuaderno de ejercicios)

Competencia sociolingüística
- Espectáculos: el baile, la música y el cine.

Participa en la comunidad de **E**mbarque

1 TEATRO, ZOO

En el tablón de anuncios del barco están las actividades para hoy y para mañana.

a. Lee la información y relaciona cada actividad con una ilustración.

5 septiembre

11:30 zoo ☐
12:30 teatro ☐
17:00 circo ☐
19:45 espectáculo de flamenco ☐

6 septiembre

12:00 exposición de fotos ☐
18:00 película ☐
20:00 desfile de moda ☐
22:30 música en directo ☐

b. ¿Qué pueden hacer los pasajeros en su tiempo libre? Completa las frases con el vocabulario anterior.

1 Ver una ....

2 Escuchar ....

3 Visitar el ....

4 Ir al ....

5 Ver una ....

6 Asistir a ....

7 Ir a ....

8 Ver ....

c. ¿Cuál de estas actividades te gusta hacer?

HOY/MAÑANA

Es lunes y son las 10:00 h. ¿Qué expresión del recuadro usas en cada caso? Escríbela.

• mañana • el mes próximo • el fin de semana • ahora • hoy

lunes 31 de agosto (son las 10:00 h)
ahora

lunes 31 de agosto
....

martes 1 de septiembre
....

septiembre
....

sábado y domingo 5 y 6 de septiembre
....

25

HABLAR DE PLANES

Dos pasajeros hablan sobre sus planes para hoy y mañana.
Escucha lo que dicen y completa qué hacen.

Hoy
• Ahora ....
• Por la tarde ....

Mañana
• Por la mañana ....
• Por la tarde ....

4

¿QUÉ HACE?

a. Pregunta a tu compañero la información que necesitas y completa los planes de Pablo y Javier.

A

Cuándo	Pablo	Javier
Ahora	hacer gimnasia	
Hoy		ir a clase de baile
Mañana		ver una película
El viernes		ver una exposición
En agosto	ir al zoo	

Cuándo	Pablo	Javier
Ahora		ir a un concierto
Hoy	ir al circo	
Mañana	escuchar música	
El viernes	bailar	
En agosto		asistir a un desfile

B

b. Explica a tu compañero qué planes tienes para mañana, el viernes, agosto, diciembre.

Pues yo ahora voy a...

 **Acción**

PLANIFICAS UN FIN DE SEMANA

Planifica un fin de semana con tu compañero. Explicadlo al resto de la clase.

El sábado por la mañana podemos ir al parque.

Y el domingo podemos ir al museo.

5 EN CARTELERA

Aquí tienes la cartelera del barco con algunas propuestas.

a. Lee la información y completa los huecos con estas palabras.

> • conciertos • bailes • cine • cursos • exposiciones • sala de juegos

Propuesta de actividades

....
Star Trek (V.O.S. en español)
Lugar: Sala 1
Horario: Viernes y sábado, 18:00, 22:15
Volver
Lugar: Sala 2
Horario: Viernes y sábado, 19:00, 23:00

....
Música en vivo: La oreja de Van Gogh
Lugar: Salón Neptuno
Horario: Sábado, 22:30

....
Cocina para principiantes
Lugar: Salón Imperial
Horario: Lunes y miércoles, 18:30
Cocina mexicana
Lugar: Salón Imperial
Horario: martes y jueves, 18:30

INFANTIL
Cuentacuentos
Lugar: Sala de lectura
Horario: Lunes a viernes, 17:00

....
Pintura infantil
Lugar: Sala de exposiciones
Horario: Sábado, 12:00

....
(salsa, merengue, flamenco)
Lugar: Discoteca
Horario: Lunes a viernes, de 18:00 a 20:00

Fotografía contemporánea
Lugar: Sala de exposiciones
Horario: Domingo, 12:00

....
Casino
Horario: Lunes a domingo, de 22:30 a 2:00

b. Contesta las preguntas.

1. ¿Cuántas películas puedes ver el sábado por la noche? ¿A qué hora?
2. ¿Qué puedes hacer el lunes a las seis de la tarde?
3. ¿Dónde son los cursos de baile?
4. ¿Dónde puedes ver una exposición de fotografía?
5. ¿Qué evento hay en el salón Neptuno?

c. Lee la siguiente información, ¿a qué actividad de la cartelera se refiere?

Los participantes van a conocer tres platos típicos de la gastronomía de México, van a prepararlos con nuestro chef y disfrutarlos juntos.

1. ....

Después de más de diez años en los escenarios, este famoso grupo español de música pop nos presenta su nuevo disco con temas sobre el amor y la felicidad.

2. ....

Según las palabras de su director, Almodóvar, la película nos habla de «tres generaciones de mujeres que sobreviven al viento, al fuego, a la locura, a la superstición e incluso a la muerte a base de bondad, mentiras y una vitalidad sin límites».

3. ....

Los más pequeños pueden disfrutar con esta divertida lectura. Al final los niños van a representar la historia.

4. ....

26

6

LLAMADA DE TELÉFONO

Estos son los elementos básicos de una llamada de teléfono. Relaciona cada función con su ejemplo.

1. Despedirse
2. Identificarse
3. Saludar
4. Contestar
5. Mensaje

a. ¿Diga?, ¿dígame?, ¿sí?
b. Hola, buenos días.
c. Soy Óscar.
d. ¿Quedamos el viernes?
e. Hasta luego.

7

¿DIGA?

Raúl llama por teléfono a Jaime y Lucía.

a. Escucha la conversación y marca si son verdaderas (V) o falsas (F) las siguientes afirmaciones.

	V	F
1. Raúl llama porque tiene el programa de actividades del barco.	☐	☐
2. El martes hay una película a las 18:00 h.	☐	☐
3. Lucía y Jaime tienen clase de baile a las 18:00 h.	☐	☐
4. El sábado van a un concierto de música.	☐	☐
5. El domingo van a la piscina.	☐	☐

b. Clasifica en la tabla las expresiones del recuadro que aparecen en el diálogo.

> • Hasta mañana • ¿Vienes con nosotros? • Soy Raúl • ¿Diga? • ¿Quedamos para cenar? • ¿Vamos a ver La oreja de Van Gogh? • ¡Hola!

Saludar	
Identificarse	
Despedirse	
Contestar	
Proponer y sugerir	

Gramática

Verbo *venir*
vengo
vienes
viene
venimos
venís
vienen

Verbo *quedar*
quedo
quedas
queda
quedamos
quedáis
quedan

8

¿PARA QUÉ VAS A...?

Escribe para qué vas a estos lugares.

1. ....
2. ....
3. ....
4. ....

Acción

QUEDAS CON UN AMIGO

a. Elige 3 actividades de la cartelera.
b. Llama por teléfono a tu compañero y proponle quedar para realizarlas.

Práctica
de gramática

Las expresiones de tiempo: *hoy, mañana...*

1 Relaciona la información y escribe frases completas.

1. Ana y yo mañana		a Italia.
2. Vosotros el jueves	bailar	al zoo.
3. En septiembre, yo	viajar	al museo.
4. El sábado, Javier y Pablo	ir	una exposición.
5. El viernes, tú	ver	al cine.
6. Hoy, Víctor		en la discoteca.

1. ....
2. ....
3. ....
4. ....
5. ....
6. ....

El presente de indicativo de los verbos *poder, venir y quedar*

2 Completa la tabla con las formas del recuadro.

Poder	Venir	Quedar
o>ue	e>ie	
puedo	vengo	....
....	....	....
....	....	queda
....	....	....
podéis	....	....
....	....	....

puede, quedamos, vienen, quedáis, pueden, venimos, quedo, quedan, puedes, podemos, viene, quedas, venís, vienes

3 Completa el diálogo con el presente de los verbos entre paréntesis.

A: Oye, Carlos, ¿qué (hacer, nosotros) .... hoy?

B: ¿Hoy? Pues ahora (poder, nosotros) .... ir al zoo. Por la tarde (ir, nosotros) .... a la sala de exposiciones. Mañana (quedar, nosotros) .... con Marta para ir al cine.

A: Vale. Me parece una buena idea. Mira ahí está Luis.

B: Hola, Luis, ¿tienes planes para hoy?, ¿(venir, tú) .... con nosotros a ver una exposición?

C: No, yo no (poder) .... porque (ir) .... a un concierto de música clásica. Oye, ¿(venir, vosotros) .... conmigo a la piscina mañana? El tiempo es magnífico.

A y B: Genial. Mañana (ir) .... juntos a la piscina. ¡Hasta mañana!

Proponer y sugerir una actividad

4 Relaciona las columnas.

1. ¿*Vamos + a* + infinitivo?
2. ¿*Vamos + a* + lugar?
3. ¿*Quedamos + en* + lugar?
4. ¿*Quedamos* + expresión de tiempo?
5. ¿*Quedamos + para* + infinitivo?
6. ¿*Vienes + a* + nombre?

a. ¿Quedamos el sábado?
b. ¿Quedamos para ir al museo?
c. ¿Vienes al cine?
d. ¿Vamos a bailar?
e. ¿Vamos a la discoteca?
f. ¿Quedamos en mi casa?

Expresar finalidad: *¿Para qué?/Para*

5 Completa las frases y escribe la pregunta.

1. ....
   Estudiamos español para…

2. ....
   Necesito el pasaporte para…

3. ....
   Viajamos para…

onversaciones a bordo

Mis planes para el fin de semana

1. Quieres quedar con un amigo para salir el fin de semana.
   a. Lee la información sobre estas personas y elige una identidad.
   b. Llama a tu compañero por teléfono y queda con él según la información que tienes.
   c. Explica a la clase con quién quedas y qué hacéis.

Claudia
- El sábado tiene clase de baile de 18:00 h a 20:00 h.
- Le gustan las películas románticas. Hay una sesión a las 21:00 h.
- No le gusta la comida italiana.
- Le gustan las exposiciones de fotografía. Hay una el sábado por la tarde hasta las 20:00 h.
- Le gusta mucho bailar.

Roberto
- Sábado: 21:00 h, cumpleaños de Óscar.
- Le gusta la fotografía. Tiene libre el sábado hasta las 21:00 h.
- Le gustan los deportes, especialmente el baloncesto.
- Le gusta probar diferentes tipos de comida.
- Quiere bailar el fin de semana.

Sara
- Le gustan las películas románticas y de acción.
- El sábado come con sus padres.
- Le gusta bailar y quiere ir a una discoteca.
- No le gustan los deportes.
- Tiene clase de guitarra el sábado de 16:00 h a 17:30 h.

Julio
- No le gusta el cine, prefiere el teatro.
- Quiere ir a un restaurante mexicano o italiano.
- El sábado cena con Rocío.
- No le gustan las discotecas.
- Quiere jugar al baloncesto el fin de semana.

1 ABSTRACTO, MODERNO

En la sala de exposiciones del barco hay cuadros de diferentes estilos.

a. Lee la descripción del siguiente cuadro de Goya.

La gallina ciega. Goya. 1789.

Sala de exposición

La gallina ciega

Este cuadro, pintado por Goya, representa una escena típica de la época, que parece muy divertida: un grupo de hombres y mujeres que juegan a *la gallina ciega*. Los jóvenes, que están al aire libre, son aristócratas de la sociedad española.

Esta obra es de estilo rococó, es muy alegre y dinámica. El movimiento está muy presente en la escena. Respecto al color, el cuadro representa una imagen donde hay colores vivos como el blanco, el amarillo y el rojo.

El cuadro está en el Museo del Prado.

> **Describir y valorar**
> *Es/Parece* + adjetivo.
> Está bien/mal/regular.

b. Describe y valora los siguientes cuadros con estos adjetivos.

- dinámico • moderno/antiguo • abstracto/realista • interesante/aburrido • alegre/triste

La ventana abierta. Juan Gris. 1921.

Paseo a orillas del mar. Joaquín Sorolla. 1909.

Sala de exposición

Nombre: ....

Descripción del cuadro:

Sala de exposición

Nombre: ....

Descripción del cuadro:

2 EL MUSEO ESTÁ MUY BIEN

Estos son los comentarios de algunos turistas a la pregunta: ¿Qué le parece el Museo Sorolla?

Lee lo que escriben y contesta las preguntas.

MUSEO SOROLLA
Libro de visitas

El museo está muy bien. No es aburrido porque es una casa-museo: puedes ver cuadros y también visitar el estudio de pintura de Sorolla. Es el museo más original de Madrid porque es la casa del pintor. Claudia, de Salamanca.

Creo que el Museo Sorolla es muy original. Los cuadros me parecen muy interesantes. Tienen mucha luz, son muy alegres y están llenos de vida. Hay niños que juegan en el agua y mujeres que pasean por la playa. Los colores azul y blanco están en todos los cuadros. Javier, Madrid.

El museo nos gusta mucho, nos parece muy interesante y original. Es un museo pequeño con muchos cuadros que describen la luz del Mediterráneo. En esta casa-museo puedes ver muebles muy antiguos y lámparas de la tienda Tyffany. Ricardo y Alba, de Sevilla.

1. ¿Cómo es el Museo Sorolla?
2. ¿Qué puedes ver en este museo?
3. ¿Cómo son los cuadros de Sorolla?
4. ¿Qué adjetivos se usan para describir el museo y los cuadros de Sorolla? Escríbelos.

3 ES ORIGINAL

27

Dos pasajeros hablan sobre algunas actividades.

Escucha lo que dicen y escribe el adjetivo que usan para describirlas.

	1	2	3
Jaime			

	1	2	3
Elia			

HABLAS DEL OCIO

a. Describe con un adjetivo cada actividad de la tabla.
b. Pregunta a tu compañero qué le parecen.
c. ¿Coincidís? Presenta los resultados a la clase.

	Tú	Tu compañero
Hacer un curso de pintura		
Bailar		
Tocar un instrumento		
Chatear con amigos		
Visitar un museo		
Escuchar música clásica		

4 EL MUSEO GUGGENHEIM

Aquí tienes dos famosos edificios españoles.

a. Observa las imágenes y lee las comparaciones.

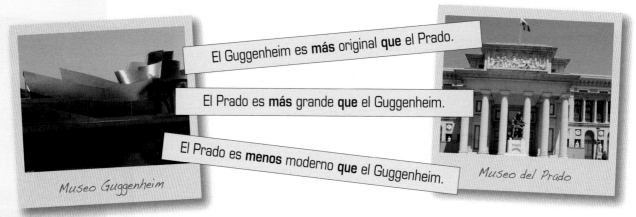

El Guggenheim es **más** original **que** el Prado.

El Prado es **más** grande **que** el Guggenheim.

El Prado es **menos** moderno **que** el Guggenheim.

Museo Guggenheim

Museo del Prado

Comparar

Más + adjetivo + *que*

Menos + adjetivo + *que*

---

b. Con los siguientes adjetivos, compara estos edificios.

• interesante • original • actual • moderno • antiguo • grande • pequeño

Torre Picasso (Madrid)

Torre del Oro (Sevilla)

Edificio La Pedrera (Barcelona)

Edificio CaixaForum (Madrid)

1. ....

2. ....

3. ....

4. ....

5 BARRIOS DE GRANADA

28

a. Escucha este texto sobre dos barrios de Granada y marca si son verdaderas (V) o falsas (F) estas afirmaciones.

	V	F
1. El Albaicín y el Sacromonte son dos barrios muy conocidos.	☐	☐
2. El Albaicín es más moderno que el Sacromonte.	☐	☐
3. Los cármenes son patios con flores.	☐	☐
4. El barrio del Sacromonte es famoso por sus fiestas flamencas.	☐	☐

Albaicín

Sacromonte

b. Escribe dos frases comparando el Albaicín y el Sacromonte.

1. ....

2. ....

VISITAMOS GRANADA

Siempre hay diferentes razones para visitar un país o ciudad.

a. Lee lo que escriben en esta página de turismo sobre Granada.

Sierra Nevada

La Alhambra

Motril

¿Por qué visitamos Granada?

Porque Granada es una de las ciudades más bellas del mundo. Porque está llena de monumentos con diferentes estilos artísticos y porque en ella puedes visitar maravillosos palacios como el de la Alhambra, históricos barrios como el barrio árabe del Albaicín y donde puedes andar por calles muy estrechas. Granada es famosa por sus ricas tapas. Entre los productos más característicos destacan las habas con jamón, el gazpacho, la pipirrana, el jamón de Trevélez, etc.

En Granada puedes visitar cinco parques naturales y el Parque Nacional de Sierra Nevada donde es posible practicar el senderismo, recorridos a caballo o en bicicleta. Es interesante visitar también la costa de Granada porque sus pueblos son pueblos tradicionales que tienen hermosas playas, como Almuñécar, Motril o La Herradura, donde puedes practicar el submarinismo, el *windsurf* o simplemente nadar y tomar el sol. ¡Te esperamos!

b. Escribe tres motivos por los que es interesante visitar Granada.

1. .... 2. .... 3. ....

¿POR QUÉ?/PORQUE

Transforma las siguientes frases como en el ejemplo.

> *Visitar la Alhambra. Gustarle mucho el arte = Visita la Alhambra porque le gusta mucho el arte.*

1. Ir al barrio de Sacromonte. Querer ver un espectáculo de flamenco.
2. Viajar a Tenerife. Gustarle la playa y el sol.
3. Ver una exposición en el Museo Guggenheim. Gustarle el arte moderno.
4. Ir a Barcelona. Querer ver la Sagrada Familia.

Acción

EXPONES TUS RAZONES

a. Elige un museo/monumento turístico de tu ciudad y descríbelo.
b. Compara ese museo/monumento con el de tu compañero.
c. Explica tres razones por las que hay que verlo o visitarlo.

Práctica
de gramática

Describir y valorar con *ser, parecer* y *estar*

1 Mira las fotos y describe estos edificios o lugares.

La Sagrada Familia. Barcelona.

La plaza de las Tres culturas. México.

La avda. 9 de Julio. Buenos Aires.

....

Las estructuras comparativas: *más que, menos que...*

2 Escribe frases comparativas.

1. Madrid / grande / Valencia   ....
2. Dalí / original / Velázquez   ....
3. El Prado / moderno / el Guggenheim   ....
4. Esquiar / divertido / bailar   ....
5. Exámenes / aburridos / ejercicios   ....
6. Cine / interesante / teatro

Expresar causa: *¿Por qué?/Porque*

3 Relaciona las columnas y escribe las frases.

1. Siempre leer el periódico   a. trabajar en Hispanoamérica.   ....
2. Hacer deporte   b. no tener dinero.   ....
3. Estudiar español   c. gustarle la pintura.   ....
4. Visitar el Museo Sorolla   d. no haber autobús.   ....
5. Viajar en tren   e. interesarle las noticias.   ....
6. No ir al teatro   f. querer estar en forma.   ....

4 Completa este chat.

CH@T

Tu amig@: Hola, ¿qué tal tu viaje en el barco?, ¿cómo es?
Tú: ....
Tu amig@: ¿Qué tal en Granada?
Tú: ....
Tu amig@: No conozco la Alhambra, ¿cómo es?
Tú: ....
Tu amig@: Entonces, ¿te gusta la Alhambra?
Tú: ....

Tu amig@: ¿Por qué?
Tú: ....
Tu amig@: ¿Prefieres Granada o Valencia?
Tú: ....
Tu amig@: ¿Por qué?
Tú: ....
Tu amig@: ¿Cuál es más grande?
Tú: ....
Tu amig@: ¡Qué suerte! Yo también voy a ir allí.

Diario a bordo

fotos

Foro de viaje

1. Entras en un foro de viajes y ves este mensaje con algunas respuestas.

a. Lee qué escriben algunos viajeros.

FORO DE VIAJE

> **Viajera:**
> Hola a todos los viajeros. Necesito vuestra ayuda, en marzo voy a Buenos Aires y quizá a otra ciudad. ¿Alguien puede decirme qué hay que visitar?
>
> **Respuestas:**
> **Moreno20: 14-02-2011**
> Hola, viajera. Buenos Aires es una ciudad fantástica. Tienes que visitar la plaza de Mayo, que es una de las plazas más tradicionales de la ciudad. Muy cerca está el Cabildo, la Casa Rosada y la Catedral Metropolitana. Esta catedral es, sin duda, una de las catedrales más bonitas que conozco. ¡Buen viaje!
>
> **Simpático22: 12-02-2011**
> Hola a todos. Estoy de acuerdo con Moreno20, Buenos Aires es fantástica e impresionante. Tiene monumentos más antiguos que otras ciudades de Hispanoamérica. Yo vivo en Buenos Aires y te puedo decir que un punto de interés para los porteños es la famosa avenida Santa Fe. Aquí puedes encontrar comercios de ropa, calzado, cafés y bares.
>
> **Chica19: 9-02-2011**
> Buenos Aires es más cosmopolita que otras ciudades de Hispanoamérica. Es verdad. Pero yo prefiero San Carlos de Bariloche. Es más bella que Buenos Aires. Es la capital turística de la Patagonia y ofrece muchas actividades relacionadas con los deportes y la naturaleza. ¡Feliz viaje, viajera!

b. Participa en el foro enviando tu opinión. Busca información en Internet y prepara el texto que vas a enviar.

Diario de viaje

2. Durante el crucero escribes tus experiencias en tu diario. Con los adjetivos del recuadro, describe tus dos lugares preferidos.

> moderno, antiguo, impresionante, abstracto, realista, moderno, grande, pequeño, nuevo, viejo, interesante, largo, corto

Diario de a bordo

Fecha: ....

Mi ciudad o lugar favorito es ....
porque es más .... que ....
Está muy bien .... porque ....
....
....

Participa en la comunidad de

Embarque

7

Usuario [   ]
Contraseña [   ]

un lugar fantástico

Seguro que conoces un lugar especial.
a. Elige una ciudad o un lugar que te gusta mucho.
b. Entra en www.edelsa.es > zona estudiante > adultos y cuelga tu *post*. Pon fotos del lugar.

⚓ Refuerza
la gramática del módulo 7

Las expresiones de tiempo

1. Ordena las palabras y escribe la frase correcta.

1. casa / ahora / en / Estamos ....

2. octubre / cinco / Hoy / lunes / es / de ....

3. fiesta / vamos / de / una / a / Mañana / cumpleaños ....

4. de / museo / hay / lunes / una / pintura / exposición / en / el / El ....

5. vacaciones / mayo / tenemos / En / no ....

6. viene / mes / El / mi / cumpleaños / que / es ....

7. a / El / amigos / fin / de / de / vamos / semana / nuestros / casa ....

8. sábado / mi / El / en / cenamos / casa / próximo ....

/ 8

El presente de indicativo de los verbos *poder, venir* y *quedar*

2. Escribe la forma correcta de los verbos.

Poder

1. 1.ª persona plural ....

2. 2.ª persona singular ....

3. 3.ª persona plural ....

4. 1.ª persona singular ....

5. 2.ª persona plural ....

6. 3.ª persona singular ....

Venir

1. 1.ª persona singular ....

2. 2.ª persona plural ....

3. 3.ª persona plural ....

4. 1.ª persona plural ....

5. 2.ª persona singular ....

6. 3.ª persona singular ....

3. Escribe la persona del verbo.

1. Quedamos ....

2. Quedas ....

3. Queda ....

4. Quedáis ....

5. Quedan ....

6. Quedo ....

4. Completa el diálogo con *poder, venir* o *quedar*.

• Hola, María, ¿(1) .... hoy?

• Lo siento, hoy no (2) .... porque (3) .... mi amiga de Valencia, pero (4) .... salir mañana, ¿(5) ....?

• Lo siento, mañana es imposible.

• Entonces, ¿(6) .... el fin de semana?

• Buena idea. (7) .... ir a la exposición que hay en el Retiro.

• ¿Sabes si (8) .... también Roberto y Lucía?

• Sí, creo que sí, y Carlos, él también (9) .... Mañana (10) .... con él y se lo digo.

• Muy bien, entonces nos vemos el fin de semana.

/ 28

Expresar finalidad

5. Relaciona las columnas y escribe la frase final correcta.

1.	(Ir, ellos) a la fiesta	**a.**	comprar una casa mejor.	....
2.	(Estudiar, yo) español	**b.**	saber qué pasa en el mundo.	....
3.	(Trabajar, él) mucho	**c.**	escuchar a nuestro grupo favorito.	....
4.	(Estudiar, ellos) mucho	**d.**	contarles la noticia.	....
5.	(Llamar, tú) a tus amigos	**e.**	tener buena salud.	....
6.	(Leer, ustedes) el periódico	**f.**	viajar a Hispanoamérica.	....
7.	(Hacer, ella) ejercicio	**g.**	aprobar el examen.	....
8.	(Ir, nosotros) al concierto	**h.**	conocer gente.	....

Las estructuras comparativas

6. Haz comparaciones con los adjetivos del recuadro. (Hay varias opciones).

/ 8

sano   moderno   caro   original   divertido   rápido   grande   bajo

1. Madrid … Sevilla. ....

2. Goya … Picasso. ....

3. Barcelona … Bilbao. ....

4. Hacer deporte … ver la tele. ....

5. Leer un cómic … leer un libro. ....

6. El avión … el coche. ....

7. Los españoles … los alemanes. ....

8. Un Porche … un Renault. ....

Expresar la causa

/ 8

7. Lee las frases y escribe la frase causal.

1. No ir a la exposición de pintura. Gustarles más la fotografía. (ellos)

....

2. Viajar a Argentina. Hacer un intercambio con una universidad. (él)

....

3. Aprender español. Querer hacer negocios en Chile. (nosotros)

....

4. Visitar Barcelona. Querer conocer la Sagrada Familia. (mis padres)

....

5. Viajar en tren. No gustarle el avión. (usted)

....

6. Vivir en el campo. Preferir la vida sana. (vosotras)

....

7. Estudiar medicina. Querer ser médico. (tú)

....

8. No invitar a Celia. No tener su teléfono. (mi hermana)

....

/ 8

Total / 60

Espectáculos

El baile: el flamenco y el tango

El flamenco es un género español de música y danza que se origina en Andalucía en el siglo XVIII y que tiene como base la música y la danza andaluza. El cante, el toque y el baile son los principales elementos del flamenco. Esta danza es pura fuerza y sentimiento.

El flamenco evoluciona con el tiempo:

En los años setenta nace el flamenco fusión en el que destacan dos nombres: Paco de Lucía y Camarón de la Isla. Los dos dan un impulso creativo al flamenco. Otros artistas importantes son El Lebrijano, que une el flamenco con la música andalusí, y Enrique Morente, que une el flamenco con el *rock*.

En los años 80 aparece una nueva generación de artistas flamencos que fusionan este género con el *blues* y el *rock* o que hacen música flamenca con mezcla de pop y música caribeña.

Como figuras del flamenco destacan el guitarrista Paco de Lucía, el cantaor Camarón de la Isla y las bailaoras Sara Baras y María Pagés.

El tango es un género musical y una danza que nace en Argentina, concretamente en la zona de Río de la Plata, en la época de las grandes oleadas migratorias (segunda mitad s. XIX).

Sus movimientos son muy sensuales y muchas de sus letras hablan de la tristeza que sienten los hombres y las mujeres por causa del amor. Muchas de las palabras que aparecen en las canciones están en argot (lunfardo). Clásicamente se interpreta con un instrumento típico que se llama *bandoneón*.

En 2009 fue declarado Patrimonio Cultural Inmaterial (PCI) de la Humanidad por la UNESCO. La figura más representativa del tango es Carlos Gardel. Algunos tangos famosos que compuso son: *El día que me quieras* o *Mi Buenos Aires querido*.

Mi Buenos Aires querido

Mi Buenos Aires querido,
cuando yo te vuelva a ver,
no habrá más penas ni olvido.
El farolito de la calle en que nací
fue el centinela de mis promesas de amor,
bajo su inquieta lucecita yo la vi
a mi pebeta luminosa como un sol.

Cuestionario

1. Con tu compañero escribe cinco diferencias entre el tango y el flamenco.
2. ¿Qué prefieres, el tango o el flamenco? ¿Por qué?
3. ¿Conoces otros géneros musicales hispanoamericanos? ¿Cuáles?
4. ¿Qué géneros musicales populares hay en tu país? ¿Cómo se llaman, cómo son y qué artistas destacan?
5. ¿Puedes explicar qué bailes populares hay en tu país? ¿Cómo se llaman?
6. Busca en Internet o en alguna revista especializada información sobre alguna de las figuras más representativas del flamenco o del tango. Después, haz una exposición en clase.

La música

Juanes o Shakira son dos cantantes hispanos famosos en todo el mundo.

El colombiano Juanes además de cantante es compositor, guitarrista y productor de música pop *rock* en español. Vende más de 14 millones de discos. En el año 2004 destaca con el éxito mundial *Mi sangre*. Canciones como *A Dios le pido* o *La camisa negra* son número uno en diversos países de América, Europa y Asia.

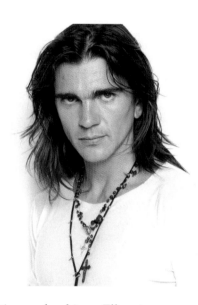

Shakira también es colombiana. Ella misma compone, canta y produce sus canciones en español e inglés.

En la década de 1990 debuta en el mercado discográfico latino con gran éxito. Su fama crece en todo el mundo en 2001 con su álbum *Servicio de lavandería*.

Shakira tiene dos importantes premios: en dos ocasiones recibe el Premio Grammy y siete veces el Grammy Latino.

El cine

Uno de los directores más famosos del cine español es Pedro Almodóvar, que ya tiene dos Óscar: uno en 1999 a la mejor película extranjera por *Todo sobre mi madre* y otro en 2002 al mejor guión original por *Hable con ella*.

El cine de Almodóvar es un cine original que presenta una realidad marginal donde hay muchos elementos escandalosos y provocadores: policías corruptos, maltrato, mujeres desesperadas, etc., todo ello presentado con humor.

Otros directores españoles con un Óscar a la mejor película extranjera son: José Luis Garci, en 1982, por *Volver a empezar*, Fernando Trueba, en 1993, por *Belle époque* y Alejandro Amenábar por *Mar adentro* en 2004.

Adaptado de varias fuentes.

Cuestionario

1. ¿Qué puedes decir de Juanes y Shakira?
2. ¿Qué otros cantantes de habla española conoces?
3. ¿Qué cantantes hispanos son famosos en tu país?
4. ¿Qué tipo de música te gusta?

5. ¿Qué actores/actrices de habla española son famosos en tu país?
6. ¿Qué películas españolas o hispanas conoces?
7. ¿Cuál es tu película favorita? ¿De dónde es?

Módulo
8

Objetivo

Hablar de la ropa y el clima

Acciones

| Preparas tu maleta | Explicas lo que te pasó | Preguntas por el clima | Escribes noticias de prensa |

Competencias

Competencias pragmáticas
- Describir la ropa.
- Dar información detallada sobre algo o alguien.
- Hablar de acontecimientos pasados.
- Hablar del tiempo atmosférico.
- Expresar intensidad.
- Expresar cantidad.
- Expresar la opinión.
- Expresar acuerdo y desacuerdo (II).

Competencias lingüísticas

Gramática
- *Ser* + descripción de ropa.
- El pronombre relativo *que*.
- El pret. perfecto simple. Los verbos regulares.
- Las expresiones de tiempo: *ayer, el otro día…*
- Los determinantes demostrativos: *este/a/os/as, ese/a/os/as, aquel/aquella/os/as.*
- *Hace, hay, está* + fenómeno meteorológico.
- Los verbos impersonales: *llover, nevar.*
- Los adverbios de cantidad: *muy/mucho/a/os/as.*

Léxico
- Las prendas de vestir.
- Las características de las prendas de vestir.
- Las estaciones del año.
- Los fenómenos meteorológicos.
- Los medios de comunicación: secciones de un periódico.

Fonética (ver cuaderno de ejercicios)

Competencia sociolingüística
- La moda en España e Hispanoamérica.

Participa en la comunidad de **Embarque** BLOG 8

15 La ropa

1 ## CAMISA, FALDA

Mira la ropa y los complementos que hay en la revista de moda del barco. Lee las frases y completa con los nombres que faltan.

Revista de MODA

35,99 €

89,99 €

69,99 €

67 €

el bolso

150 €

49,80 €

30 €

75 €

69,99 €

150 €

las gafas de sol

255 €

48 €

50 €

25 €

Describir ropa

De + flores

rayas

lunares

Liso

1. La falda de flores cuesta 35,99 €.
2. El abrigo rosa cuesta 150 €.
3. La camisa azul cuesta 48,90 €.
4. El pantalón negro cuesta 50 €.
5. El pantalón vaquero cuesta 75 €.
6. La camiseta de rayas cuesta 25 €.
7. El vestido rojo cuesta 150 €.

8. El traje de caballero cuesta 255 €.
9. Las sandalias cuestan 67 €.
10. El bolso naranja cuesta 69,99 €.
11. Los zapatos marrones cuestan 89,99 €.
12. Las gafas de sol cuestan 69,99 €.
13. Los guantes cuestan 30 €.
14. El biquini de flores cuesta 48 €.

2

LLEVO UN PANTALÓN

Tus compañeros de viaje miran las fotos de las últimas vacaciones.
Fíjate en la ropa que llevan y descríbela.

1. ....
2. ....
3. ....
4. ....

....

Verbo *llevar*

llevo
llevas
lleva
llevamos
lleváis
llevan

29

3

PASE DE MODELOS

En el barco se celebra un desfile de jóvenes diseñadores.
Escucha al presentador, lee el texto y marca la opción correcta.

El modelo número 1, Enrique, lleva un pantalón largo de color blanco y una camiseta de manga corta de rayas rojas y blancas. Enrique lleva sandalias rojas.
Juan, el modelo número 2, lleva un pantalón vaquero y una camisa verde de rayas. Las sandalias que lleva Juan son negras.
María, la modelo número 3, lleva una falda de flores y una camiseta naranja y lisa. María lleva sandalias de color naranja.
El jersey que lleva Paco, el modelo número 4, es rojo, de manga larga, que combina con unos modernos zapatos rojos y pantalones grises.
Nuestra modelo número 5, Verónica, lleva un moderno abrigo liso y de color marrón. Además, lleva una bufanda de rayas, unos guantes marrones y unas botas de color marrón también.

Dar información detallada

Las sandalias que lleva Juan son negras.

1. Enrique lleva un pantalón:
   a. largo y blanco ☐
   b. corto y negro ☐
2. Juan lleva una camisa:
   a. verde de rayas ☐
   b. verde y lisa ☐

3. María lleva una falda:
   a. de rayas rojas ☐
   b. de flores ☐
4. Paco lleva un jersey:
   a. rojo y de manga larga ☐
   b. de manga corta y rojo ☐

5. Verónica lleva un abrigo:
   a. marrón y de rayas ☐
   b. marrón y liso ☐

PREPARAS TU MALETA

a. Elige uno de estos tres lugares para pasar las vacaciones.
   • Roma en octubre • Playas de México en julio • Buenos Aires en agosto
b. ¿Qué ropa llevas en tu maleta? Descríbela.
c. Compara con tu compañero.

Voy de vacaciones a...
y en mi maleta llevo...

LAS ESTACIONES DEL AÑO

Observa las fotos. ¿Qué estación del año es? Escríbelo.

1. Sierra Nevada
2. Playa Tenerife
3. Valle del Jerte
4. Hayedo de Montejo

Estaciones del año

La primavera, el verano, el otoño, el invierno.
En + estaciones del año.

1. ....

2. ....

3. ....

4. ....

5

30

FOTOS DE LAS VACACIONES

Lucía habla con una amiga de sus vacaciones.

a. Lee y escucha el diálogo. Después completa la tabla.

- Mira, aquí tengo fotos de las vacaciones, ¿quieres verlas?
- Sí, claro.
- A ver… la primera… sí… Estos somos Roberto y yo en el valle del Jerte, la primavera pasada. Allí visitamos muchos pueblos y comimos muy bien, lo recuerdo perfectamente. Comimos un queso muy bueno.
- Sí, es un lugar muy bonito. Yo también lo conozco.
- Mira, esta foto de aquí es del verano pasado en Tenerife. Mis amigos subieron al Teide. Desde allí vieron la isla de la Gomera.
- ¿Y esa foto de ahí?
- Somos mi hermana y yo. Es del otoño pasado en Cuenca, en las Casas Colgadas. Paseamos por la ciudad y después visitamos la Ciudad Encantada.
- ¡Ah! Sí… yo también visité Cuenca el año pasado.
- Esta fotografía es en Sierra Nevada hace tres años. Esta es mi amiga Marta con sus hijos. Esquiaron todo el fin de semana.
- Son unas fotos preciosas. Oye, ¿y aquellas?
- ¡Uy! Aquellas son muy antiguas.

Gramática

Verbo *pasear*
pase**é**
pase**aste**
pase**ó**
pase**amos**
pase**asteis**
pase**aron**

Verbo *comer*
com**í**
com**iste**
com**ió**
com**imos**
com**isteis**
com**ieron**

Verbo *subir*
sub**í**
sub**iste**
sub**ió**
sub**imos**
sub**isteis**
sub**ieron**

	¿Dónde?	¿Cuándo?	¿Qué pasó?
Foto 1	Valle del Jerte		
Foto 2		El verano pasado	
Foto 3			Pasearon por la ciudad
Foto 4			

b. Lee otra vez el texto y escribe los verbos que aparecen en indefinido, ¿qué persona es? ¿Cuál es su infinitivo?

1. *Visitamos visitar, nosotros*

2. ....

3. ....

4. ....

5. ....

6. ....

7. ....

6 PASEARON POR EL PARQUE

Observa las ilustraciones, ordénalas y escribe qué hicieron ayer.

Hablar de acontecimientos pasados

Ayer comieron en casa.

7 HACE DOS SEMANAS

Elige algunos verbos del recuadro y completa las frases con tu información personal.

Expresiones de tiempo

Anoche, ayer, el otro día. *Hace* + cantidad de tiempo. *En* + año/mes/época. *El* + día/mes + *pasado* + pretérito perfecto simple.

1. El otro día ....
2. Ayer ....
3. Anoche ....
4. Hace dos semanas ....
5. El año pasado ....
6. En 2009 ....
7. En mayo ....
8. En Navidad ....

- levantarse • ver • acostarse
- desayunar • esquiar
- comer • cenar • bañarse
- viajar • escribir • estudiar
- pasear • trabajar • visitar

8 ESTE, ESE, AQUEL

a. Lee el texto del ejercicio 5 y marca los demostrativos que aparecen.

b. Escribe, debajo de cada imagen, el demostrativo adecuado.

Gramática

Demostrativos

este, esta
estos, estas } cerca

ese, esa
esos, esas } lejos

aquel, aquella } muy
aquellos, aquellas } lejos

....

....

....

HABLAS DEL PASADO

Pregunta a tres compañeros por acontecimientos importantes en sus vidas y completa la tabla.

	¿Dónde?	¿Cuándo?	¿Qué pasó?
Compañero 1			
Compañero 2			
Compañero 3			

Práctica
de gramática

El pronombre relativo *que*

1 Escribe frases según el modelo explicando qué ropa llevas en estas situaciones y cómo es (color y características).

Ej.: *A la montaña llevo pantalones. Los pantalones que llevo a la montaña son marrones y largos.*

1. Al trabajo ....
2. A un partido de fútbol ....
3. A una entrevista de trabajo ....
4. A la cena de Navidad ....
5. Al cine ....
6. A un concierto de *rock* ....

El pretérito perfecto simple de los verbos regulares

2 Completa la tabla con las formas del recuadro.

Pasear	Ver	Subir
paseé	....	....
....	viste	....
paseó	....	....
....	vimos	....
....	visteis	....
pasearon	....	....

subieron, vio, subió, paseaste, vieron, vi, subiste, subimos, paseamos, subisteis, paseasteis, subí

3 Escribe los verbos en pretérito perfecto simple.

1. Ayer (comprar, tú) ....… una camisa.
2. El sábado pasado (pasear, nosotros) …....……… por la montaña.
3. En verano (subir, ellos) ....… al Teide.
4. La semana pasada (ver, tú) ....… a tus amigos en la biblioteca.
5. El otro día (bañarse, vosotros) …....……… en el mar.

4 Haz preguntas con esta información.

1. La semana pasada/visitar/(tú) ....
2. Hace dos años/viajar/(ella) ....
3. El sábado/salir/(vosotros) ....
4. Ayer/ver/(ustedes) ....
5. Anoche/cenar/(usted) ....
6. Ayer/llamar/a Carlos/(tú) ....

Los demostrativos: *este, ese...*

5 Completa la tabla con los demostrativos.

☞ muy lejos (allí) ●

☞ lejos (ahí) ●

☞ cerca (aquí) ●

	Masculino		Femenino	
	Singular	Plural	Singular	Plural
	este	....	....	estas
	....	....	esa	....
	....	aquellos	....	aquellas

6 Completa con el demostrativo adecuado.

1. Quiero visitar .... plaza de aquí.
2. ¿De quién es .... abrigo de allí?
3. Prefiero .... libros de allí.
4. Compramos en .... quiosco de ahí.
5. Me gustan .... gafas de ahí.
6. Le gusta .... vestido de aquí.

Conversaciones a bordo

Un cuestionario

1. En la tienda de ropa del barco hay un cuestionario para saber qué prendas prefieren los viajeros.
Completa con los datos de tu compañero.

Cuestionario

Nombre: .... Apellidos: ....
Edad: .... Sexo: ☐ M ☐ F
Ocupación: ....
Dirección actual
Calle o plaza: .... Número: .... Código postal: ....
Ciudad: .... Teléfono: ....

En verano
1. ¿Qué ropa llevas?

Vaqueros ☐	Falda ☐	Pantalón largo ☐	Camisa de algodón ☐
Biquini ☐	Guantes ☐	Jersey ☐	Pantalón corto ☐

2. ¿Qué colores prefieres?

Azul ☐	Verde ☐	Amarillo ☐
Marrón ☐	Negro ☐	Blanco ☐

En invierno
3. ¿Qué ropa llevas?

Vaqueros ☐	Falda ☐	Pantalón largo ☐	Camisa de algodón ☐
Abrigo ☐	Guantes ☐	Jersey ☐	Traje ☐

4. ¿Qué colores prefieres?

Azul ☐	Verde ☐	Amarillo ☐
Marrón ☐	Negro ☐	Blanco ☐

5. ¿Qué ropa llevas en el trabajo/centro de estudios...? ¿Y en vacaciones?

Presentador del desfile

2. Organiza tu propio desfile en clase.
   a. Elige a tres compañeros como modelos.
   b. Presenta al resto de la clase la ropa que llevan.

Mis fotos

3. Enseña a tu compañero tres fotos de tus últimas vacaciones.
   a. Explícale qué pasó, dónde y cuándo.
   b. Describe la ropa que llevas.

16 Rayos y truenos

1 NIEVE, VIENTO

Mira estos símbolos meteorológicos.

a. Relaciona cada uno con una palabra del recuadro.

> • el sol • el viento • la lluvia • la nieve • la tormenta • nubes y claros • nublado • la niebla

1. ....   2. ....   3. ....   4. ....   5. ....   6. ....   7. ....   8. ....

b. Observa estas fotos y escribe qué tiempo hace.

....

Gramática

Verbo *llover*
Llover > llueve

Verbo *nevar*
Nevar > nieva

2 FORO METEOROLÓGICO

En un foro sobre Argentina explican cómo es el clima allí.
Lee el texto y marca si son verdaderas (V) o falsas (F) las afirmaciones.

FORO METEOROLÓGICO ARGENTINO

¡Hola, amigo!
Si viajas a la Argentina, necesitas saber que en el hemisferio sur las estaciones son opuestas a las del hemisferio norte: el verano es de diciembre a marzo y el invierno de finales de junio a septiembre.
El clima en Argentina cambia según la zona geográfica. En el norte llueve mucho y hay temperaturas altas (35ºC).
En el centro del país el clima es continental, con inviernos muy fríos y veranos cálidos. La zona sur, especialmente La Patagonia, tiene un clima muy frío. Allí hay mucha nieve durante todo el año, así que se necesita un buen abrigo. La estación más adecuada para viajar allí es el verano.
Otoño y primavera son magníficos en Buenos Aires. La ciudad de Buenos Aires tiene un clima templado durante todo el año.
¡Suerte en tu viaje!

	V	F
1. El verano empieza en marzo.	☐	☐
2. En el norte hay pocas lluvias y temperaturas altas.	☐	☐
3. En el centro, los veranos son cálidos.	☐	☐
4. En el sur hay nieve todo el año.	☐	☐
5. El clima de Buenos Aires es templado.	☐	☐

HACE SOL

Las siguientes palabras aparecen en el ejercicio 1.

a. Clasifícalas en la columna correspondiente.

• calor • frío • lluvia • niebla • nieve • nubes y claros • nublado • tormenta • viento • sol

Estar	Hacer	Hay

b. Observa el mapa y habla con tu compañero sobre el tiempo que hace.

Predicción meteorológica

JUEVES
2 OCTUBRE

AEMet
Agencia Estatal de Meteorología

MUY/MUCHO

Lee las frases y relaciona las columnas.

1. El clima cambia mucho.
2. Estos meses son muy fríos.
3. Hay mucha nieve.
4. Llueve mucho.

a. Se usa *muy* + adverbios/adjetivos.
b. Se usa *mucho, mucha, muchos, muchas* + nombre.
c. Se usa *mucho* después de verbo.

HABLAS DEL CLIMA

a. Elige un país/ciudad.

b. Busca información en Internet o en un periódico sobre el tiempo allí.

c. Pregunta a un compañero cómo es el clima y completa la tabla.

> ¿Qué tiempo hace en verano?

> En verano, en el sur, hace mucho calor.

	Primavera	Verano	Otoño	Invierno
En el norte				
En el sur				
En el este				
En el oeste				

5 SECCIONES DE UN PERIÓDICO

En un periódico hay diferentes secciones.
a. Relaciona cada una con su contenido.

Secciones

1. Nacional
2. Cultura
3. Internacional
4. Deportes
5. Ciencia/Tecnología
6. Economía
7. El tiempo

Contenido

a. Información del tiempo. ☐
b. Noticias de salud, nuevas tecnologías. ☐
c. Noticias de todo el mundo. ☐
d. Noticias del propio país. ☐
e. Noticias sobre cine, teatro, música. ☐
f. Noticias deportivas. ☐
g. Noticias del mundo empresarial y comercial. ☐

b. Lee las siguientes noticias que aparecen en el periódico del barco.
¿A qué sección crees que pertenecen?

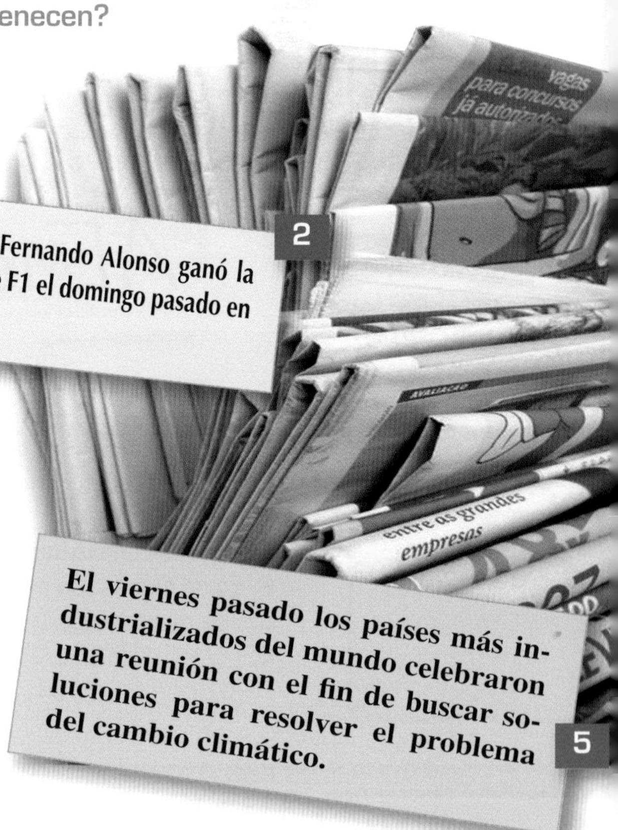

1 Ayer un hombre entró en el Banco Central para robar y se llevó 250.000 euros.

2 El piloto Fernando Alonso ganó la carrera de F1 el domingo pasado en Singapur.

3 El director de cine Pedro Almodóvar terminó el mes pasado su última película y hoy la presenta en el Festival de San Sebastián.

4 Hace dos días la lluvia causó muchos problemas en el sur de España, especialmente en la ciudad de Huelva.

5 El viernes pasado los países más industrializados del mundo celebraron una reunión con el fin de buscar soluciones para resolver el problema del cambio climático.

1. .... 2. .... 3. .... 4. .... 5. ....

6 ¿QUIÉN? ¿QUÉ? ¿CUÁNDO?

Con la información de las noticias anteriores, completa la tabla.

	¿Quién?	¿Qué?	¿Cuándo?	¿Dónde?
1	Un hombre			
2			El domingo pasado	
3		Presenta su última película		
4				En el sur de España
5				

31

7

Y TÚ, ¿QUÉ OPINAS?

Dos pasajeros hablan sobre las noticias que leen en el periódico.

a. Lee y escucha el diálogo.

- Pues ayer leí que los representantes de varios países se reunieron para hablar del cambio climático. Pero yo creo que este es un problema sin solución. Tú, ¿qué opinas?
- No estoy de acuerdo. Creo que el problema sí tiene solución. Ahora muchas personas piensan que es importante cuidar el medio ambiente y buscar soluciones para evitar un desastre. Hay que hacer algo porque el planeta está en peligro.
- Sí, es posible, pero muchas personas no tienen cuidado. Tampoco las industrias. Solo piensan en sus intereses y no en el planeta.
- Es verdad, pero poco a poco la mentalidad va a cambiar. Estoy segura, y para eso son importantes las reuniones y las decisiones que toman los representantes de los países. Pero también es importante la educación en las familias y en las escuelas.
- Estoy de acuerdo. Todos tenemos que ser conscientes y colaborar por el bien del planeta.
- Exacto.

Expresar acuerdo y desacuerdo
(No) Estoy de acuerdo.
Sí, es verdad.
Yo también / tampoco.

Pedir y dar opinión
Opinión + ¿y tú?
Opinión + ¿no?
Y tú, ¿qué opinas?
Yo creo / pienso que...

Gramática

Verbo *pensar*
p**ie**nso
p**ie**nsas
p**ie**nsa
pensamos
pensáis
p**ie**nsan

Verbo *creer*
creo
crees
cree
creemos
creéis
creen

b. Marca en la lectura las expresiones para:

1. Pedir opinión.   **2.** Dar opinión.   **3.** Expresar acuerdo.   **4.** Expresar desacuerdo.

8

ESTOY DE ACUERDO

Lee las siguientes noticias sobre las nuevas tecnologías.

a. Pide opinión a tu compañero.

b. Di si estás o no de acuerdo con sus opiniones.

1 Las nuevas tecnologías aportan cosas positivas y cosas negativas, por ejemplo, hay sitios web y *blogs* extremistas que convierten a Internet en un instrumento de guerra y odio. Sin embargo, también Internet es el medio formidable que existe para destruir los obstáculos o las fronteras.

2 Científicos norteamericanos descubren que las personas mayores que navegan por Internet y buscan información en la red activan partes de su cerebro.

3 Gracias a las nuevas tecnologías todos vamos a comunicarnos sin necesidad de aprender idiomas.

4 La red ofrece muchas cosas buenas, pero también termina con otras que nos gustan: comprar en una tienda, recibir una postal de amigos, etc.

ESCRIBES NOTICIAS

1. Escribe dos noticias breves para dos secciones diferentes de un periódico.
2. Léelas en clase. Tus compañeros dicen a qué secciones pertenecen.

Noticia 1

Noticia 2

Práctica
de gramática

Los verbos relacionados con el clima

1 Completa las frases con *estar, hacer, haber, llover y nevar.*

1. En la montaña .... en invierno.
2. Cuando ...., tenemos que llevar un paraguas.
3. Hoy .... sol.
4. En el norte .... nublado por las mañanas, pero por la tarde .... sol.
5. Canarias son las islas afortunadas porque todo el año .... buena temperatura.
6. En el norte de España .... mucho.
7. En verano, en Madrid .... mucho calor.
8. Hoy .... muy nublado y no se ve el sol.

Muy/mucho

2 Selecciona la palabra correcta.

1. Tengo *muy / mucha* sed.
2. Hace *muy / mucho* calor.
3. Hay *muy / mucha* nieve.
4. Las temperaturas son *muy / mucha* altas.

5. Leemos *muy / muchos* periódicos.
6. En verano llueve *muy / mucho*.
7. En diciembre, las temperaturas son *muy / muchas* frías.
8. Hace *muy / mucho* sol.

3 Completa con *muy, mucho/a/os/as.*

1. Tengo .... camisetas de algodón.
2. El pantalón es .... largo.
3. El invierno pasado nevó .... en mi ciudad.

4. Alaska tiene un clima .... frío.
5. Tengo .... amigos que llevan vaqueros.
6. Mis hermanos estudian ....

El presente de indicativo del verbo *pensar*

4

Pensar
....
....
....
....
....
....

5 Completa las frases con la forma correcta del verbo.

1. Marina .... que hoy no hace calor.
2. Nosotros .... ir a la playa el sábado.
3. Y tú, ¿qué ....?
4. Mis padres .... viajar a México.
5. Este verano (yo) no .... estudiar.
6. Chicas, ¿................... comprar ese vestido?

Expresar una opinión, acuerdo/desacuerdo

6 Relaciona los elementos del recuadro A con su correspondiente del B.

A
a. Pedir opinión.
b. Dar opinión.
c. Expresar acuerdo.
d. Expresar desacuerdo.

B
1. (No) Estoy de acuerdo. ☐
2. Opinión + ¿y tú? ☐
3. Y tú, ¿qué opinas? ☐
4. Yo también/tampoco. ☐
5. Opinión + ¿no? ☐
6. Sí, es verdad. ☐
7. Yo creo que... ☐
8. Pienso que... ☐

Diario

El tiempo en Argentina

1. Aquí tienes la información meteorológica de Argentina para el fin de semana.
Escribe en tu diario qué tiempo hace en:
- La costa atlántica
- La Plata
- El norte
- Ushuaia

Meteo Argentino

Jujuy 26°
Salta 24°
Formosa 26°
Tucumán 25°
Catamarca 26°
Resistencia 26°
Posadas 25°
Santiago del Estero 26°
La Rioja 25°
Corrientes 26°
San Juan 20°
Córdoba 13°
Santa Fe 17°
Paraná 21°
Mendoza 16°
San Luis 14°
Santa Rosa 17°
La Plata 16°
Neuquén 17°
Viedma 19°
Rawson 20°
Capital Federal 16°
Río Gallegos 9°
Puerto Argentino 9°
Ushuaia 5°
Base Marambio -11° 00°

fotos

Mis noticias

2.
   a. Piensa en algo que te pasó o en una noticia que conoces y escríbela.
   b. Escribe un titular para esa noticia.
   c. Lee tu texto en clase.

Diario de a bordo

Titular: ....
....
....
....
....

algo pasó

Seguro que conoces una historia divertida o extraña que te pasó durante un viaje, en unas vacaciones, etc.
a. Redacta un texto con la siguiente información: ¿qué pasó?, ¿cuándo?, ¿dónde?
b. Piensa en un titular para tu historia.
c. Entra en www.edelsa.es > zona estudiante > adultos y cuelga allí tu *post*.

Participa en la comunidad de **E**mbarque

8

suario [ ]
ontraseña [ ]

El pronombre relativo *que*

1. Transforma las frases según el modelo.

1. Tengo una camisa roja. La camisa es de algodón.
   La camisa roja que tengo es de algodón.
2. María tiene una hermana. La hermana de María se llama Eva.
   ....
3. Carmen compra una falda. La falda tiene flores.
   ....
4. Tengo un coche nuevo. El coche está en la calle.
   ....
5. Irene tiene una casa. La casa de Irene está cerca de un parque.
   ....
6. Ella compra un libro. El libro tiene muchos cuentos.
   ....
7. Tengo un abrigo nuevo. El abrigo es verde.
   ....
8. Compramos unas sandalias. Las sandalias son muy caras.
   ....

El pretérito perfecto simple de los verbos regulares

2. Completa las formas verbales que faltan.

Cantar	Comer	Escribir
canté	....	....
....	comiste	....
....	....	escribió
cantamos	....	....
....	comisteis	....
....	....	escribieron

	7

3. Escribe la persona de los siguientes verbos.

1.	estudié	*yo*	9.	hablamos	....
2.	cantamos	....	10.	vi	....
3.	vivieron	....	11.	nadamos	....
4.	subiste	....	12.	compraron	....
5.	viste	....	13.	vieron	....
6.	hablaste	....	14.	cantó	....
7.	comieron	....	15.	escuchó	....
8.	bebí	....	16.	hablé	....

4. Escribe en pretérito perfecto simple estos verbos en presente.

1.	canto	....	9.	salgo	....
2.	estudias	....	10.	compras	....
3.	habla	....	11.	abre	....
4.	escribimos	....	12.	cenamos	....
5.	vivís	....	13.	termináis	....
6.	ven	....	14.	desayunan	....
7.	salimos	....	15.	escribes	....
8.	vemos	....	16.	como	....

5. Escribe frases en pretérito perfecto simple con las siguientes palabras.

1. Anoche / ver / película / cine   Nosotros ....
2. Ayer / cenar / amigos / restaurante japonés   Ellos ....
3. El lunes pasado / comprar / vestido   Yo ....
4. La semana pasada / empezar / nuevo trabajo   Él ....
5. En verano / visitar / Berlín   Vosotras ....
6. En 2010 / conocer / novio   Ella ....
7. Ayer / enviar / mensajes / amigos   Tú ....
8. El fin de semana / estudiar / mucho   Ellos ....

6. Elige la opción correcta.

1. ¿*Saliste / Salisteis* anoche con tus amigos?
2. Ayer la profesora *explicó / expliqué* el tema ocho.
3. Mis compañeros *aprobaste / aprobaron* el examen.
4. El fin de semana (yo) *envié / envió* muchos correos a mis amigos.
5. Roberto y yo *compramos / compraron* entradas para el cine.
6. Elena y tú *vieron / visteis* un programa muy interesante.
7. Juan *subió / subí* al Teide en verano.
8. Fernando y Raquel *visitan / visitaron* el museo de la ciudad.

Los determinantes demostrativos

/ 59

7. Completa con el determinante demostrativo adecuado.

(aquí)
1. .... libro
2. .... casa
3. .... pantalones
4. .... gafas

(ahí)
5. .... guantes
6. .... camisas
7. .... bolso
8. .... falda

(allí)
9. .... casa
10. .... edificio
11. .... abrigos
12. .... fotos

8. Elige la opción adecuada.

1. *Este / Ese / Aquel* libro está aquí, en la estantería.
2. *Esta / Esa / Aquella* casa está ahí, en esa calle.
3. *Estos / Esos / Aquellos* chicos están ahí, en el parque.
4. *Estas / Esas / Aquellas* camisas están allí, en el armario.
5. *Este / Ese / Aquel* pantalón está aquí, encima de la cama.
6. *Esta / Esa / Aquella* mujer está ahí, en el banco.
7. *Estos / Esos / Aquellos* guantes están allí, en la mesa.
8. *Estas / Esas / Aquellas* fotos están ahí, en la estantería.

/ 20

Los verbos relacionados con el clima

9. Elige uno de los verbos del recuadro y completa las frases.

estar   hacer   llover   nevar   haber

1. Hoy .... nublado y .... frío.
2. En el sur de España .... sol.
3. Me gusta esquiar cuando ....
4. En el norte de España .... mucho, por eso es muy verde.
5. En Sevilla, en verano, ... mucho calor.
6. Necesitamos un paraguas porque ....
7. Hoy .... frío y por eso llevamos abrigo.
8. El periódico dice que hoy .... nubes y claros.

/ 9

Los adverbios de cantidad e intensidad

10. Elige la opción correcta.

1. En Valencia puedes ver *muy / mucho / mucha / muchos / muchas* monumentos interesantes.
2. Hoy hace *muy / mucho / mucha / muchos / muchas* calor y tengo *muy / mucho / mucha / muchos / muchas* sed.
3. En Madrid puedes visitar museos *muy / mucho / mucha / muchos / muchas* importantes.
4. Tengo *muy / mucho / mucha / muchos / muchas* amigos que hablan español.
5. Mi amiga tiene *muy / mucho / mucha / muchos / muchas* camisas iguales.
6. El español es una lengua *muy / mucho / mucha / muchos / muchas* fácil.
7. Ese pantalón es *muy / mucho / mucha / muchos / muchas* caro.
8. Visitar Hispanoamérica es *muy / mucho / mucha / muchos / muchas* interesante.

/ 9

Total / 104

Cibeles Madrid Fashion Week

La Pasarela Cibeles ahora se llama *Cibeles Madrid Fashion Week*. ¿Cuál es el motivo? Estar a la altura de los grandes eventos de moda a nivel internacional, pero no solo se cambió el nombre, sino que también se produjeron una serie de cambios en la pasada edición que se celebró en el mes de septiembre.

Uno de los objetivos de Cibeles Madrid Fashion Week es defender la moda española y difundirla a nivel internacional. El otro objetivo es difundir la imagen de Madrid.

Los diseñadores españoles internacionales, junto a los jóvenes diseñadores, pueden presentar sus colecciones en una de las dos salas que hay: la sala Cibeles, más clásica y elegante con una pasarela de 2,5 m de ancho y una altura de 30 cm, y la sala Neptuno, más vanguardista y atrevida, con una pasarela de 6 m de ancho que está en el mismo suelo.

Hay dos colecciones al año: la de primavera-verano y la de otoño-invierno.

Entre los diseñadores destacan: Devota & Lomba, Ágatha Ruiz de la Prada, Carolina Herrera, Jesús del Pozo, Custo Barcelona, Purificación García, Miguel Palacio, Amaya Arzuaga, David Delfín y Victorio & Lucchino, entre otros.

Adaptado de www.mujerhoy.es

Cuestionario

1. ¿Qué función tiene Cibeles Madrid Fashion Week?
2. ¿En qué se diferencian las dos salas que presentan la moda española?
3. ¿En tu país hay una semana de la moda? ¿Cómo es?

Diseñadores de España e Hispanoamérica

PURIFICACIÓN GARCÍA

La palabra que define sus colecciones y diseños es *elegancia*. Purificación García diseña ropa para hombre, para mujer, complementos (bolsos, zapatos, gafas, relojes, etc.), además de decoración para la casa (alfombras, velas, sábanas, etc).

Cuando diseña ropa de hombre, no piensa en un hombre en concreto sino en sus circunstancias, sus diseños son para un hombre inquieto y curioso que busca la comodidad. Entre sus clientes hay escritores, actores, arquitectos... todos ellos creativos.

CUSTO BARCELONA

Esta firma fue creada por los hermanos David y Custodio Dalmau de Barcelona. Los diseños presentan un estilo diferente, original e innovador con colores vivos, brillantes, con gráficos humorísticos y caras de animales.

Las combinaciones de colores parecen estar en relación con las horas del día (el atardecer, el anochecer).
La ropa para hombre es similar a la de las mujeres, las prendas se ajustan al cuerpo y destacan sus colores brillantes.

CAROLINA HERRERA

La figura más importante en la moda de Hispanoamérica y de Estados Unidos tiene nombre español, es la venezolana Carolina Herrera. Carolina diseña para una mujer femenina y romántica. «Hay que atraer a las mujeres que compran tu ropa con algo especial [...]. La mujer tiene que sentirse bella». Carolina piensa en diseños con los que la mujer se siente bella, cómoda, glamurosa y sofisticada.

La ropa de la diseñadora resalta la individualidad de las mujeres que quieren «más creatividad» cuando se visten. Sus colecciones «Carolina Herrera New York» y «CH» incluyen desde moda para mujer y hombre a objetos y accesorios.
Además de diseñar, tiene una línea de perfumes y de cosmética.

Cuestionario

1. Describe a tus compañeros los diseños de Purificación García, Custo y Carolina Herrera. ¿Cuál te gusta más? ¿Por qué?
2. Busca en Internet o en una revista especializada información sobre un diseñador español y preséntala a tus compañeros.
3. ¿Qué diseñadores hay en tu país? ¿Cómo son sus diseños?

El artículo definido e indefinido

	masculino		femenino	
	definido	indefinido	definido	indefinido
singular	el	un	la	una
plural	los	unos	las	unas

Usos:

El artículo definido (*el, la, los, las*) se usa para hablar de algo o alguien que se conoce.
* Delante de *señor/a, señores/as* + (nombre) + apellido: *El señor Muñoz es español.*
  Excepción: en saludos y despedidas: *Buenas tardes, señora Alonso.*
* Delante de sustantivos: *El salón es muy luminoso. Trabajo en el Hospital Central.*
* Con el verbo *estar*: *Aquí está el baño.*
* Con las horas y los días de la semana: *Son las seis de la tarde. El lunes no trabajo.*

El artículo indefinido (*un, una, unos, unas*) se usa para hablar de algo o alguien que no se conoce.
* Delante de sustantivos: *Compro un libro en la librería.*
* Con el verbo *haber*: *Hay un banco en la plaza central.*

Las contracciones *al* y *del*

El artículo definido *el* cuando va después de *a* o *de* forma una sola palabra.
* *a* + *el* = *al*: *Voy al cine.*
* *de* + *el* = *del*: *La mesa está cerca del sofá.*

Los pronombres personales sujeto

	singular	plural
1.ª persona	yo	nosotros/as
2.ª persona	tú	vosotros/as
3.ª persona masculino y femenino. Informal	él ella	ellos ellas
3.ª persona masculino o femenino. Formal *Esta forma se utiliza para referirnos a la persona* tú *o* vosotros, *pero formalmente.*	usted	ustedes

Usos:

* En español, el uso de estos pronombres no es obligatorio: *(Yo) Estudio español en Madrid.*
* En Hispanoamérica se utiliza *vos* para referirse a *tú* o *usted*: *Vos tenés veinte años.*

El género y número de los adjetivos de nacionalidad

singular		plural	
masculino	femenino	masculino	femenino
consonante *español*	-a *española*	-es *españoles*	-as *españolas*
-o *mexicano*	-a *mexicana*	-os *mexicanos*	-as *mexicanas*
-e, -a *canadiense, belga*		-s *canadienses, belgas*	
-í *marroquí*		-es *marroquíes*	

El género y número de los adjetivos calificativos

singular		plural	
masculino	femenino	masculino	femenino
-o *alto*	-a *alta*	-s *altos*	-s *altas*
-or *hablador*	-a *habladora*	-es *habladores*	-as *habladoras*
-e *alegre*		-s *alegres*	
-ista *optimista*		-s *optimistas*	

Usos:

Los adjetivos concuerdan con el sustantivo en género y número y se utilizan para:

- Hablar de las características físicas de una persona: *Estela es alta y morena.*
- Hablar del carácter y la personalidad de alguien: *José es inteligente.*
- Describir una cosa o lugar: *Esta ciudad es muy interesante.*

El género y número de los sustantivos

masculino	femenino	masculino	femenino
singular		plural	
-o *hijo*	-a *hija*	-s *hijos*	-s *hijas*
consonante *director*	-a *directora*	-es *directores*	-s *directoras*
-ista *taxista*		-s *taxistas*	

Usos:

Sirven para nombrar personas, animales o cosas.

Son masculinos:
- Muchos nombres que terminan en -o: *el cuadro, el bolígrafo.*
- Los nombres de personas o animales de sexo masculino: *el padre, el gato.*
- Los días de la semana: *el lunes.*
- Los números y los colores: *el uno, el azul.*

Son femeninos:
- Muchos nombres que terminan en -a: *la casa, la bicicleta.*
- Los nombres de personas o animales de sexo femenino: *la madre, la gata.*
- Las letras del abecedario: *la a, la be.*

Pueden ser masculinos o femeninos:
- Algunos nombres que terminan en -e o en consonante: *la canción, el restaurante, el parque, la calle.*
- Algunos nombres que terminan en -a: *el/la taxista, el/la dentista, el/la policía.*

Tienen masculino y femenino diferente: *el hombre/la mujer, el padre/la madre, el actor/la actriz.*

Los pronombres interrogativos

¿Qué?	Se usa para saludar, para informarse de la ocupación de una persona y para preguntar por las acciones: *¿Qué tal? ¿Qué haces? ¿Qué comes?*
¿Quién?	Se usa para preguntar por la identidad de una persona: *¿Quién es él?*
¿Cuál?/¿Cuáles?	Se usa para preguntar por algo concreto: *¿Cuál es tu número de móvil? ¿Cuáles son tus apellidos?*
¿Cómo?	Se usa para preguntar el nombre o cómo se escribe o dice una palabra: *¿Cómo te llamas? ¿Cómo se dice* house *en español?*
¿De dónde?	Se usa para preguntar por el origen o la nacionalidad: *¿De dónde eres?*
¿Dónde?	Se usa para preguntar por un lugar, por una dirección y por la ubicación de algo o alguien: *¿Dónde trabajas? ¿Dónde vives? ¿Dónde está el museo?*
¿Cuándo?	Se usa para preguntar por el tiempo (día de la semana/mes/hora): *¿Cuándo sale el tren?*
¿Cuánto? ¿Cuántos?	Se usa para preguntar por la edad, el precio o la cantidad: *¿Cuántos años tienes? ¿Cuánto cuesta el billete? ¿Cuántos hermanos tienes?*
¿Para qué?	Se usa para preguntar por la finalidad de algo: *¿Para qué estudias español?*
¿Por qué?	Se usa para preguntar por la causa o motivo de algo: *¿Por qué vives en España?*

El presente de indicativo de los verbos regulares

trabajar	leer	escribir
trabajo	leo	escribo
trabajas	lees	escribes
trabaja	lee	escribe
trabajamos	leemos	escribimos
trabajáis	leéis	escribís
trabajan	leen	escriben

Usos:
* Expresar lo que hacemos habitualmente: *Todos los días como en casa.*
* Hablar del futuro: *Mañana llamo a mis padres.*
* Informar: *Vive en Brasil.*
* Dar instrucciones: *Primero escribes el correo y luego escuchas música.*

El presente de indicativo de *llamarse*

llamarse	
me	llamo
te	llamas
se	llama
nos	llamamos
os	llamáis
se	llaman

El presente de indicativo de los verbos irregulares

merendar *e>ie*	almorzar *o>ue*	servir *e>i*
meriendo	almuerzo	sirvo
meriendas	almuerzas	sirves
merienda	almuerza	sirve
merendamos	almorzamos	servimos
merendáis	almorzáis	servís
meriendan	almuerzan	sirven

Otros verbos *e>ie:* *cerrar, empezar, pensar, querer, preferir, despertar, pensar.*

Otros verbos *o>ue:* *contar, recordar, volver, poder, dormir, volar.*

Otros verbos *e>i:* *pedir, seguir, repetir.*

El presente de indicativo de *ser, estar, ir*

ser	estar	ir
soy	estoy	voy
eres	estás	vas
es	está	va
somos	estamos	vamos
sois	estáis	vais
son	están	van

Usos:

Ser se utiliza para:
- Hablar de la nacionalidad y el origen: *¿Eres italiano?*
- Expresar la profesión: *Soy profesora.*
- Describir personas: *Son altos y rubios.*
- Indicar posesión: *Es mi ordenador.*
- Identificar cosas o personas: *Es un libro. Soy Ana.*
- Decir el día y la hora: *Hoy es lunes. Son las doce.*

Estar se utiliza para:
- Hablar del estado - civil: *Roberto está soltero.*
  - físico: *Los niños están cansados.*
- Ubicar algo en el espacio: *La biblioteca está cerca.*
- Situar algo en el tiempo: *Estamos en marzo.*

El presente de indicativo de *hacer, tener, salir, decir, venir*

hacer	tener	salir	decir	venir
hago	tengo	salgo	digo	vengo
haces	tienes	sales	dices	vienes
hace	tiene	sale	dice	viene
hacemos	tenemos	salimos	decimos	venimos
hacéis	tenéis	salís	decís	venís
hacen	tienen	salen	dicen	vienen

Nota:
- Todos estos verbos hacen la 1.ª persona en *-go*.
- Los verbos *tener* y *venir* cambian *e>ie*.
- El verbo *decir* cambia *e>i*.

Usos:

Tener se utiliza para:
- Describir personas: *Tiene los ojos marrones.*
- Hablar de la edad: *Tengo 25 años.*
- Expresar posesión: *Tengo un hermano mayor.*
- Hablar de sensaciones: *Tenemos hambre.*

El presente de indicativo de *saber* y *conocer*

saber	conocer *-cer > -zco (yo)*
sé	conozco
sabes	conoces
sabe	conoce
sabemos	conocemos
sabéis	conocéis
saben	conocen

Usos:
- Usamos *saber* para hablar de habilidades: *Sé cocinar.*
- Usamos *conocer* para hablar de expresiones: *Conozco Madrid.*
- Cuando hablamos de personas usamos *a*: *Conozco a Eva.*

El presente de indicativo de los verbos reflexivos

	pronombre reflexivo	despertarse *e>ie*	acostarse *o > ue*	vestirse *e>i*
yo	me	despierto	acuesto	visto
tú	te	despiertas	acuestas	vistes
él, ella, usted	se	despierta	acuesta	viste
nosotros/as	nos	despertamos	acostamos	vestimos
vosotros/as	os	despertáis	acostáis	vestís
ellos/as, ustedes	se	despiertan	acuestan	visten

Los verbos reflexivos:
* Necesitan un pronombre *(me, te, se, nos, os, se)*.
* El pronombre va delante del verbo: *Me levanto a las 8:00.*
* El sujeto recibe la acción del verbo: *Luis se lava las manos.*

El pretérito perfecto simple (o indefinido) de los verbos regulares

pasear	ver	subir
paseé	vi	subí
paseaste	viste	subiste
paseó	vio	subió
paseamos	vimos	subimos
paseasteis	visteis	subisteis
pasearon	vieron	subieron

Nota:
* El acento es muy importante porque:
  Presente: *yo paseo*　　　　Pretérito perfecto simple: *él paseó*
* El presente y el pretérito perfecto simple tienen la misma forma para nosotros:
  Hoy paseamos/subimos. Ayer paseamos/subimos.

Usos:
* Contar acontecimientos pasados: *España ingresó en la Unión Europea en 1986.*
* Hablar de acontecimientos que ocurrieron en un momento concreto del pasado: *El año pasado encontré trabajo.*
* Hablar de la biografía de una persona: *Ágatha Ruiz de la Prada comenzó en el mundo de la moda en 1980.*
* Suele ir con expresiones como: *anoche, ayer, la semana pasada, el mes/año pasado, hace… años, en Navidad*, etc.: *Anoche cené con mis padres. La semana pasada vi a Juan. El año pasado visité Madrid. Hace 3 meses viajé con mis padres a Italia.*

Los verbos impersonales

Llover:	Hoy llueve mucho. Ayer llovió en el norte de España.
Nevar:	Hoy no nieva, pero ayer nevó mucho.

Contraste *hay/está(n)*

hay	está/n
Usos: Indicar existencia o no de personas, lugares y objetos. **hay** { + *un/una/unos/unas* + sustantivo (singular/plural): *Hay una farmacia en la plaza.* + sustantivo plural: *Hay museos en la ciudad.* + *mucho/a/os/as, poco/a/os/as* + sustantivo (singular/plural): *Hay mucha gente en el centro comercial.*	**Usos:** Indicar localización en el espacio de personas, lugares y objetos. - *está/n* + expresión de lugar: *La iglesia está al lado del restaurante.* - *el/la/los/las* + sustantivo (singular /plural) + *está/n*: *El museo está cerca de la plaza.* - *mi/mis, tu/tus, su/sus, nuestro/a/os/as, vuestro/a/os/as* + sustantivo (singular / plural) + *está/n*: *Mi plano está en el bolso.*

El verbo *gustar* y los pronombres de objeto indirecto: *me, te, le, nos, os, les*

(A mí)	me			el chocolate
(A ti)	te	gusta	mucho	salir con amigos
(A él/ella/usted)	le		bastante	nadar
(A nosotros/as)	nos	gustan	un poco	los coches
(A vosotros/as)	os		nada	los animales
(A ellos/as, ustedes)	les			

Usos:
- Expresar gustos: *Me gustan los animales.*
- Normalmente va con un adverbio: *Me gusta mucho el chocolate.*
- No es necesario usar (*a mí, a ti...*): *Me gusta nadar.*
- Si la frase es negativa, *no* va delante. *No me gusta levantarme temprano.*

El verbo *parecer*

A mí	me		aburrido/s
A ti	te		divertido/s
A él/ella/usted	le	parece	original/es
A nosotros/as	nos	parecen	interesante/s
A vosotros/as	os		
A ellos/as, ustedes	les		

Usos:
- Expresar una opinión: *Me parece interesante.*
- Puede ir con los adverbios *muy, bastante, bien/mal*: *Esta ciudad me parece muy bonita.*
- Si la frase es negativa, *no* va delante: *No me parece bien hacer eso.*

Las perífrasis: *hay que* + infinitivo/*tener que* + infinitivo

hay que + infinitivo	tener que + infinitivo
Uso: • Expresar la obligación de hacer algo en forma no personal: *Hay que trabajar más.*	**Uso:** • Se usa para expresar la obligación de hacer algo en forma personal: *Tienes que escribir un correo esta tarde.*

Los determinantes posesivos

	singular		plural	
	masculino	**femenino**	**masculino**	**femenino**
yo	mi		mis	
tú	tu		tus	
él, ella, usted	su		sus	
nosotros/as	nuestro	nuestra	nuestros	nuestras
vosotros/as	vuestro	vuestra	vuestros	vuestras
ellos/as, ustedes	su		sus	

Usos:
- Indicar posesión: *Mi libro es azul.*
- Indicar relación familiar: *Enrique es su hermano.*

Los determinantes demostrativos y los adverbios de lugar

	demostrativos				adverbios
	singular		plural		
	masculino	femenino	masculino	femenino	
cerca	este	esta	estos	estas	aquí (cerca)
lejos	ese	esa	esos	esas	ahí (lejos)
muy lejos	aquel	aquella	aquellos	aquellas	allí (muy lejos)

Usos:

- Los determinantes demostrativos indican la distancia que hay entre la persona que habla y el objeto al que se refiere: *Este libro* (indica que está cerca del hablante).
- Concuerdan con el sustantivo al que acompañan: *Estos libros.*
- Los adverbios de lugar indican el lugar de algo o alguien en relación con la persona que habla: *Este hotel está aquí. Ese hotel está ahí. Aquel hotel está allí.*

Los numerales: cardinales y ordinales

cardinales			
0 cero	10 diez	20 veinte	100 cien
1 uno	11 once	21 veintiuno	101 ciento uno
2 dos	12 doce	22 veintidós	102 ciento dos
3 tres	13 trece	30 treinta	200 doscientos
4 cuatro	14 catorce	31 treinta y uno	250 doscientos cincuenta
5 cinco	15 quince	32 treinta y dos	300 trescientos
6 seis	16 dieciséis	40 cuarenta	400 cuatrocientos
7 siete	17 diecisiete	50 cincuenta	500 quinientos
8 ocho	18 dieciocho	60 sesenta	600 seiscientos
9 nueve	19 diecinueve	70 setenta	700 setecientos
		80 ochenta	800 ochocientos
		90 noventa	900 novecientos
			1.000 mil

Usos:

- Los números cardinales expresan el número o la cantidad.
- Cuando escribimos los números con letras:
  Desde el *veinte* hasta el *veintinueve* se escriben una sola palabra y con una *i*: *veintisiete, veintiocho, veintinueve.*
  Del *treinta y uno* en adelante se escriben siempre en dos palabras, excepto 20, 30, 40, 50, 60, 70, 80 y 90.
- Para expresar el número 100 se emplean las palabras *cien* y *ciento*.
- *Uno* y *ciento* pierden la *-o/-to* cuando van delante de un sustantivo: *un libro, cien euros.* Esto no pasa en el femenino: *veintiuna letras.*

ordinales	
primero (1.º)	sexto (6.º)
segundo (2.º)	séptimo (7.º)
tercero (3.º)	octavo (8.º)
cuarto (4.º)	noveno (9.º)
quinto (5.º)	décimo (10.º)

Usos:

- Los numerales ordinales indican orden.
- Concuerdan con el sustantivo en género y número: *Ella es la primera hija y ellos son los segundos.*
- *Primero* y *tercero* pierden la *-o* del masculino singular cuando van delante de un nombre: *Vivo en el primer piso.*

Las preposiciones y locuciones preposicionales de lugar

al lado (de)	*La silla está al lado del sofá.*
alrededor (de)	*Las sillas están alrededor de la mesa.*
a la izquierda/derecha (de)	*La silla está a la izquierda/derecha del sofá.*
en el centro (de)	*La silla está en el centro del salón.*
enfrente (de)	*La silla está enfrente de la puerta.*
entre	*La cama está entre las mesillas.*
al final (de)	*El baño está al final del pasillo.*
en	*La mesa está en el salón.*
encima/debajo (de)	*La lámpara está encima/debajo de la mesa.*
delante (de)	*La mesa está delante de la silla.*

Uso:
* Indicar ubicación.

Las expresiones de frecuencia

+ siempre	*Siempre como en casa.*
todos los días	*Todos los días hablo con mis amigos.*
normalmente	*Normalmente me levanto a las 7 de la mañana.*
a veces	*A veces voy al cine.*
− nunca	*Nunca estudio los domingos.*

Uso:
* Indicar la frecuencia con la que se realiza una acción.

Los adverbios

muy
mucho
bastante
un poco
nada

Muy/mucho

muy { + adjetivo: *Hay temperaturas muy altas en verano.*

{ + adverbio: *Está muy cerca.*

mucho { Mucho/a/os/as + sustantivo: *Hace mucho viento en la playa.*

{ Verbo + *mucho*: *Llueve mucho en primavera.*

Usos:
* Expresar intensidad.
* Expresa cantidad.

La expresión de finalidad y causa

¿Para qué?/Para	Se usa para preguntar y expresar la finalidad de una acción. *¿Para qué vas a la biblioteca? Para leer.*
¿Por qué?/Porque	Se usa para preguntar y expresar el motivo o la causa de algo. *¿Por qué estás cansado? Porque no duermo bien.*

Las preposiciones

a **de** **en** **por**	*A + mediodía/media mañana: A media mañana tomo un café con leche.* *De... a + horas, días de la semana: Tenemos clase de lunes a viernes, de 8 de la mañana a 3 de la tarde.* *En + estaciones del año, meses, años: En verano hace calor. Mi cumpleaños es en septiembre.* *Por + la mañana/tarde/noche: Por la mañana voy a clase, por la tarde escucho música en casa y por la noche veo la televisión.*

Las estructuras comparativas

más + adjetivo + **que** **menos** + adjetivo + **que**	*El Museo del Prado es más antiguo que el Museo Thyssen Bornemisza.* *Valencia es más pequeña que Madrid.*

Las conjunciones: *o, pero*

o	Se usa para preguntar preferencias: *¿Agua o zumo? Prefiero zumo.* **Nota:** La *o* cambia a *u* delante de *o-* inicial: *Diez u once.*
pero	Se usa para aceptar con reservas y para rechazar: *¿Quieres venir a cenar a casa? Lo siento, es una buena idea, pero tengo otra cena.* *¿Quieres más paella? Gracias, está muy rica, pero no quiero más.*

Expresiones de tiempo referidas al futuro

Mañana *el* + día + *que viene/próximo* *el* + mes + *que viene/próximo* *en* + mes/estación

Usos:
- Marcador temporal *mañana: Mañana comemos en un restaurante.*
- *El* + día de la semana + verbo en presente: *El sábado bailamos en la discoteca.*
- *En* + mes + verbo en presente: *En julio voy a un concierto de Juanes.*

El pronombre relativo *que*

Uso:
- Dar información detallada sobre algo o alguien: *La camiseta que llevo es de algodón.*

Pistas CD AUDIO

Material descargable

Módulo 1
Pista   1. El abecedario
Pista   2. Lista de pasajeros
Pista   3. Buenos días, ¿cómo se llama?
Pista   4. Famosos en el barco

Módulo 2
Pista   5. ¿Dónde trabajas?
Pista   6. ¡A contar! 1, 2, 3
Pista   7. Números, números
Pista   8. ¿Cuál es tu fecha de nacimiento?
Pista   9. Comprendo, comprendes
Pista 10. La tarjeta de Enrique

Módulo 3
Pista 11. ¿De quién hablan?
Pista 12. Relaciones familiares
Pista 13. A Montse y a Rocío les gusta
Pista 14. A mí también

Módulo 4
Pista 15. ¿Cómo es su vivienda?
Pista 16. El salón de té
Pista 17. En el gimnasio

Módulo 5
Pista 18. ¿Dónde vas?
Pista 19. Billete de ida y vuelta
Pista 20. Por favor, ¿el hotel Silken?

Módulo 6
Pista 21. ¿Qué desayunas?
Pista 22. Preparas un guacamole
Pista 23. ¿Qué van a tomar?
Pista 24. Te invito a mi fiesta

Módulo 7
Pista 25. Hablar de planes
Pista 26. ¿Diga?
Pista 27. Es original
Pista 28. Barrios de Granada

Módulo 8
Pista 29. Pase de modelos
Pista 30. Fotos de las vacaciones
Pista 31. Y tú, ¿qué opinas?

Extensión digital
www.edelsa.es